竜殺しの過ごす日々 1

赤雪トナ

ヒーロー文庫

illustration 碧 風羽

竜殺しの過ごす日々 1

Tona Akayuki 赤雪トナ

CONTENTS

イラスト／碧 風羽
装丁・本文デザイン／5GAS DESIGN STUDIO
校正／飯村彩子（ヴェリタ）
編集／高原秀樹（主婦の友社）

この物語は、小説投稿サイト「小説家になろう」で発表された同名作品に、書籍化にあたって大幅に加筆修正を加えたフィクションです。実在の人物・団体等とは関係ありません。

竜殺しの過ごす日々

一章

落ちて異界

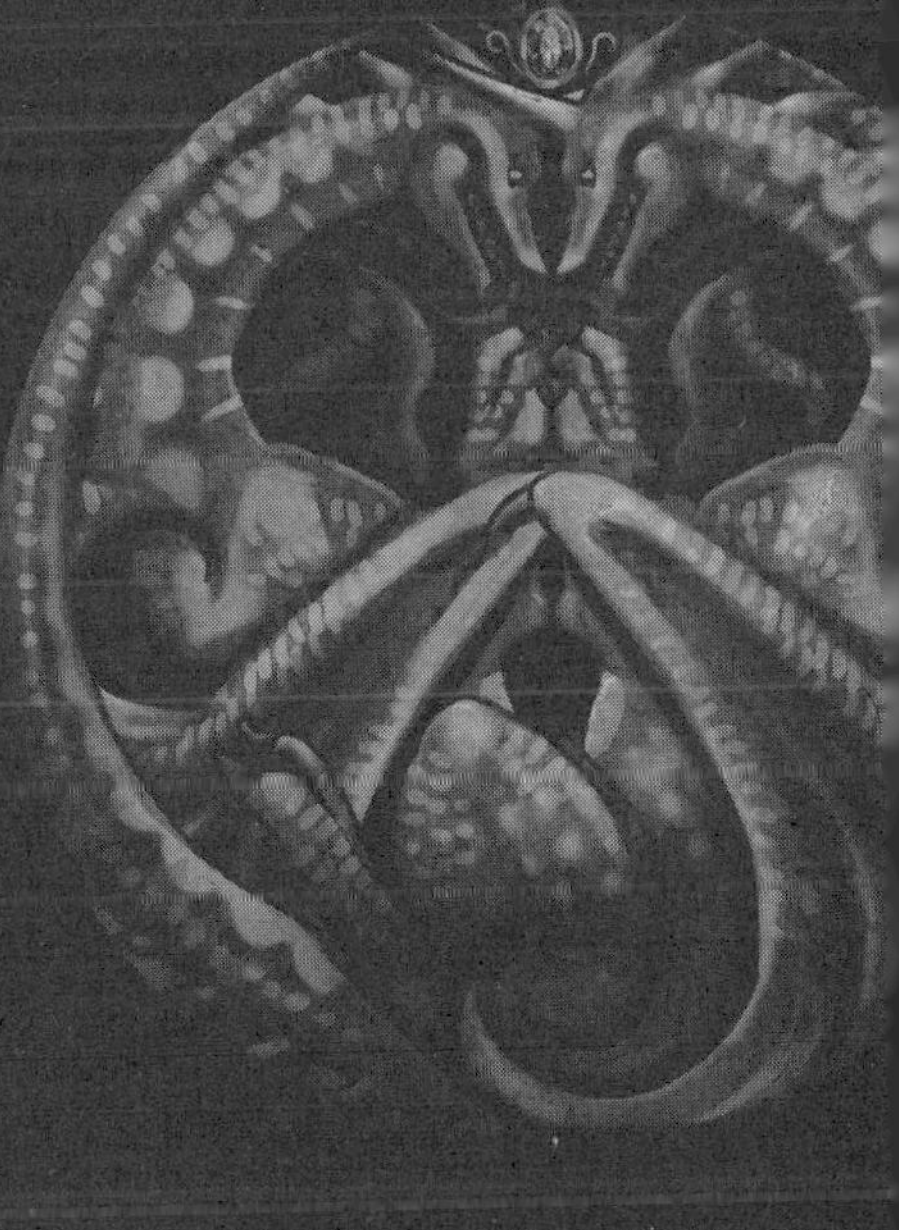

1　偶発的人間魚雷

神隠しと呼ばれる現象がある。

人が突然姿を消してしまう現象だ。

昔の人は天狗《てんぐ》や鬼などにさらわれた、神様の世界に誘われたなどと畏れを抱いた。

実際には家出や人間による誘拐、不慮の事故により死亡し、行方不明となった……などなどだろう。

だがなかには本当に妖怪にさらわれたり、異世界へと行ってしまった人間もいるのではなかろうか。

この物語の主人公である渡瀬《わたせ》幸助《こうすけ》もそんな一人だ。


その日、幸助は学校から帰って、楽しみにしている週刊漫画雑誌をコンビニに買いに行く途中だった。

「財布忘れるとはうっかりだった」

弁当持参で、自転車通学なので定期は使っていない。だから財布の必要性を学校にいる間は感じなかったのだ。

「前方の強敵に主人公が覚醒して対応してる背後で繰り広げられる修羅場！　前後から迫る試練にどう立ち向かうのか！　ってとこで終わって続きが気になってたんだよな。買うのが待ち遠しいっ」

先週いいところで終わった漫画の続きを予想しながら、鼻歌交じりに道を歩く姿はそこらの学生と変わらない。

そんな彼に人生が変わる異変が起こるまであと一分もない。

すぐ先に見える角を曲がったら、コンビニがあるというところまで来て、幸助は軽く走り出そうとした。

「あれ？」

その一歩目が地面を踏みしめず、いきなり周囲が真っ暗になった。そこで幸助が思ったことは身の危険よりも漫画を買えなくなるのではというずれたものだった。

彼が神隠しにあったのは偶然としかいえない。そこに神の意思も異世界の何者かの意思も関わっておらず、偶然目の前に開いた次元の裂け目に入ってしまったのだ。あまりに突然の出来事に、避けることもできなかった。入ったあとも自力で何とかすることは無理で、すぐに別の箇所に開いた裂け目へと吸い込まれ、異世界へと放り出された。

幸助に起きた神隠しはそのようなものだ。

そんな彼は今、落下している。

幸助はなにが起きているのか理解できていない。一分もたたずにめまぐるしく変わっていった風景に混乱し、落下に慌てることすらできていない。

幸助の視線はぼんやりと空に向けられている。耳に入ってくる風の音がすごくても、体に感じられる空気が冷たくとも、

「空が青くてきれーだな」

そんな感想しか出てこない。

下を見ていれば、そこにいる巨大生物に驚きの声を出していたのかもしれない。怖くもあるが、暴力的なまでに現実的なその竜を驚きと好奇心の目で見たかもしれない。

巨大生物は西欧型の竜だ。知性を宿した赤黒い瞳に、黒い鱗《うろこ》をまとい、鋭い爪と牙、立派な二本の角、雄雄しい銀の皮膜の翼を持つ、どこか禍々しい雰囲気の竜。

そして幸助はそのまま巨大生物の尾の付け根あたりにぶつかり、激痛であっさり意識を手放した。

高い位置から頑丈な竜の鱗にぶつかり致命傷の一歩手前、いやほとんど棺桶《かんおけ》に入っていた幸助。

だが三つの要因でその命の煌《きらめ》きは消えることなく、以前にも増して輝くことになる。


幸助は夢を見る。

自分が海外の病院で寝起きしている夢を、そばには見知らぬ西欧風の女。

彼女と言葉に不自由しながらもなんとか話している、そんな少し変わっているが平穏な夢を見る。


その日は竜にとっては半年に一度の食事の日だった。

おびえる生贄《いけにえ》を一思いに丸のみにしようか、それとも恐怖を与えた末にかみ砕こうかと思いにふけりながら、生贄の到着を待っていた。

生贄を要求し食らうことは、ずっと昔からやってきたこと。そのときから竜はおびえる人間を砕き飲み込み、己の糧としていた。

竜は知っていた。このような暴虐が許されるのは己が強いからだと。圧倒的な強さの前には弱者の群れなど蹴散らし、その思いをくむ必要すらないと。弱者は己の餌でしかないのだと。

神が己を止めにきても、その神を食らってやろうとすら考えていた。百年を超える年月に幾多の英雄が竜を殺そうとやってきたが、竜はそれを皆返り討ちにした。

竜は幸助が現れるその日まで絶対の覇者だった。

竜の最後は、生まれて初めて感じる魂をかき消すような激痛によるショック死だった。生と死の刹那に竜は自分の力が体外に出ていくのを感じた。それは自身が負けたことを示していた。

そのことに信じられないという思いを抱きつつ、意識は闇の底へと沈み消えていった。


ホルン・コルベス・ストラーチは生贄《いけにえ》を入れる豪奢《ごうしゃ》な籠の中で、それを聞いた。今までに聞いたことのない類いの、竜の咆哮《ほうこう》。

竜の咆哮ならば幾度も聞いたことがある。これまで耳にしてきたのは、自信に満ちた己を誇示するかのようなものだった。

しかし今日聞いたものは違う。まるで悲鳴なのだ。

竜の住まう山を登っていた籠が止まる。籠を運ぶ者たちも戸惑っているのだろうとホルンには予想がついた。

けれどもそれがなんなのだと諦めの思いで自問する。

疑問を抱き解決したところで、己の命は今日まで。今日ここで国の存続のため邪竜に食べられ、命を散らすのだ。

それ以上考えることなくホルンは籠が動くのを待ち続ける。

うつろな瞳には生を望む意思はかけらも浮かんではいない。自身の命が今日尽きることを受け入れているのだ。

やがて籠は動き出す。生贄《いけにえ》を捧げる祭壇へと。

二十分ほど時間がたち、籠は再び止まる。時間的にここが終着点なのだろうとホルンは思う。

鍵を開ける音がして、籠は開かれた。長いあいだ狭い籠の中にいて、外に出られた開放感が身を包んだが、それを嬉しく思うことはない。

騎士たちによってホルンは籠から出される。のろのろとしたホルンの動きにイラつくことはなく、むしろ憐憫《れんびん》すら浮かべ、ホルンの歩調に合わせ祭壇へと向かう。

ホルンが身に着けているものは灰色の髪と白い肌にあわせた一級品ばかり。死ぬ前にせめて着飾って晴れ姿を親に見せてやれという国からの贈り物だ。だが生気の薄い様相では死装束にも感じられる。今まで生贄にされてきた乙女たちと同じように。

騎士たちにより祭壇最上部に連れられたホルンは、ここにじっとしているようにと告げられる。

ホルンが逃げ出すことは考えていない。それはホルンが貴族だからで、そのことをホルンが自覚していると知っているからだ。

騎士たちは籠を持ち、来た道を戻る。ここに生贄《いけにえ》以外の者がいれば竜に不快感を与え、そのことで街一つが消えかねないのだ。

ホルンは目を閉じ、竜が来るのを待つ。吹く風に腰までの髪と服が揺れる。それ以外は動くことなく、生きる意志の少なさと美しくもあるが表情の乏しさも合わさって人形のようにも見える。

五分たち、十分過ぎ、三十分待ち、一時間が経過して、そろそろ二時間になろうかという頃、ホルンはようやく目を開けた。ひすい色をした宝石のような目が祭壇の奥へ向けられた。

表情には恐怖のほかに、どうして竜が現れないのかと疑問が浮かんでいる。

死を待ち続けるということに苦しみ、これ以上待つのは嫌ですぐにでも楽になりたいと考えたホルンは自分から竜の元へと向かうことにした。

この場から動いたことで機嫌を損ねたとしても結局は食べられ死ぬのだから、多少のわがままは許されるはずだと思い祭壇からおりて、山の奥へと歩き出す。道は竜が木々を押し倒したことでできたものだ。これに沿って行けば、巣まで辿り着けるのではないかと考えている。

「静かなところ」

聞こえるのは風に揺れる木の葉の擦れる音と虫の声くらいだ。この山には動物は少なく、魔物にいたってはまったくいない。気性の荒い竜のそばになどいたくもないのだろう。

静かな木々の間をホルンは歩く。聞こえるのは木の葉の揺れる音と己の足音のみ。

三十分ほど歩いてホルンは足を止める。黒く大きな塊が木々の向こうに見えたからだ。

「あれかしら？」

ホルンは首をかしげる。なぜなら威圧感がないからだ。以前一度だけ遠くから見たときは、離れているにもかかわらず体が震えたのだ。だが今は体は震えない。威圧感のかけらもない。まるでただの石像を見ているかのような感じすらしている。

意を決するようにうなずいてホルンは一歩一歩その大きな塊へと近づく。

そしてホルンは自分が助かったことを知った。

「……死んでる」

一目見て竜が死んでいることを理解したのだ。

竜にとって最重要器官は角だ。竜の力の全てがそこで生まれ、体中を巡り、集まる。角がなければ竜は生きていけない。その角が砕け散っていた。すなわち死んでいることを意味している。

「どうして？」

死んでいることはホルンにとっても国にとってもいいことなのだが、なぜこのようになっているのかと戸惑いのほうが先に立った。

原因を探ろうと竜の頭部に近づいてみたが、戦いを専門にしているわけではないホルンにはわからない。

それでもなにかわからないかと竜の体を探る。

十メートルを越す巨体には傷一つついていない。汚れてはいるが、手で汚れをぬぐうだけで艶々とした鱗《うろこ》が現れ光を反射する。

「あ」

ゆっくりと歩いていたホルンが倒れている少年を見つけた。

異世界に放り出され、落下し、勢いよく竜にぶつかった幸助だ。

大丈夫なのかと幸助に近づきホルンは一つの発見をした。

今まで傷一つなかった竜の鱗の一枚が砕け散っているのだ。

竜が死んだのはこの一撃が原因だった。

竜が極端に痛みに弱かった、というわけではない。ほかの箇所の鱗が砕けただけならば、少し痛いだけですんだ。

砕けた鱗周辺は竜本人も知らない弱点だったのだ。それもそこをつけば一撃で倒すことが可能という大きな弱点。

今までは鱗《うろこ》の頑丈さと弱点範囲の狭さに守られていたのだが、幸助が偶然落下しピンポイントでぶつかってしまったのだった。

宝くじの一等を当てるよりもはるかに低い確率なのではなかろうか？　常人ならば異世界に来るという時点でまずつまずく。

幸助は鱗を叩き割った右肩を中心に、肩の粉砕と右腕の複雑骨折と裂傷、胸部骨折、全身の骨にひび、全身打撲という致命傷。その大怪我と引き換えに竜を倒すという大金星を上げていた。

「この子が倒したの？」

経緯はわからずとも、なんらかの方法を用いて倒したのではと予測し、ようやくホルンはこの先も生きていられることを実感した。

瞳からポロリと一滴の涙が流れたことをきっかけに、次々と涙があふれていく。

「うぁ、あああーーっ」

言葉にならない声、それでも込められた感情で歓喜の泣き声だとわかる。

しばらく泣き声が周囲に広がる。つられるように虫の鳴き声が小さく響き出した。虫も竜が死に、恐怖が去ったことを知ったのだろう。

ひとしきり泣いたホルンは涙をぬぐい、幸助に礼を言おうと近づく。間近に近づいて、幸助の怪我に気づく。

慌ててホルンは診察していく。戦いの知識はないが、医術知識は豊富に持っているのだ。診察を終え、状態がわかったホルンは青ざめた。

泣いている間に幸助が死んでいたかもしれないのだ。もし恩人をそのようなことで失うようなことになってしまったら、悔やんでも悔やみきれない。この先ずっと後悔し続ける。

急いで重傷箇所から治癒術を使っていく。始めは右腕、次に胸と一ヶ所一ヶ所丁寧に治療していく。

この世界の誰もがこのようなことができるのかというとそうでもない。ホルンは治癒術に高い才能を持っているのだ。齢十九にして大陸トップクラスといわれるほどに。

その才が原因で竜の生贄《いけにえ》に選ばれたのだから、ホルンは才能を恨んだこともあった。

医者に任せると半年以上はかかりそうな怪我を三十分で治療し、再度の診察で怪我はなくなったことを確認し、ほっと胸を撫で下ろす。

安心したら眠気が襲ってきて、ホルンは竜に寄りかかるように眠ってしまった。治癒行為による体力の消耗もあるが、恐怖や不安などで睡眠時間が減っていたのだ。眠気に勝てなくとも無理はない。

ホルンが寝入って二時間ほどたち、ようやく幸助は目を覚ました。

「んんっなんかざらざらする」

土の感触に気づかず、床で寝たっけと血が足りずくらくらする頭をさすり起き上がる。あたりを見回すと、見覚えのない景色が広がっていた。ここはどこだと首をひねる。

腕に違和感を感じ見てみると、真っ赤だった。流れた血が乾いていたのだ。

「なにこれ!?」

パニックになりつつ腕を触り、異常がないことだけは確認した。

ぶつかった衝撃などで記憶がとび、現状がさっぱりわからない。住んでいた場所付近には森などはない。それなのに今いる場所は森。そばには年上らしき美人が寝ていて、さらには馬鹿でかい見たことのない生物がいる。

どうしてこんなところにいるのか必死に朝からの記憶を辿っていく。

「朝起きて家を出て、学校に。学校終わって、コンビニへ。それから、それから……目の前が真っ暗になった？　暗闇から抜けたら落下してた？　なにかにぶつかった？　いや、わけわからん」

自身の記憶に思わず突っ込みを入れた。

思い出せる範囲で記憶を辿っても要領を得ない。当然だ。なにもわからず突然落下してしまったのだ。思い起こしたところで現状を理解できるはずもない。

「まるで小説か漫画みたいだ。とりあえずこの人に聞いてみよ。この外見だと日本語通じないよねぇ、英語なら通じるといいなぁ。というかこんな美人さんと話すの初めてだ」

少し緊張しつつ幸助はホルンの肩を叩いて、それで起きないので肩を掴み揺する。

「起きて起きて」

まだまだ寝たりないという様子ではあるが、ゆっくりとホルンは目を開く。目を開き幸助を見るまでの間に、助かったことは夢だったのかもしれないとネガティブな考えが生まれていた。だが目覚めた場所は籠の中ではなく、竜の腹の中でもなく、眠ってしまった場所で、目の前に治療した少年がいることから夢ではなく本当に助かったのだと安堵《あんど》のため息をついた。

ホルンはどこか痛む場所はないか聞くため、幸助はここがどこか聞くため、同時に口を開いた。

「dfyerhs?」

「ここはどこ?」

互いに発した言葉がわからない。互いに聞き間違いかともう一度口を開いた。

「jsthsmu?」

「Where am I?」

幸助は明らかに英語ではない言語に言葉が通じないことを確信し、ホルンは単純に聞いたことのない言語に首をかしげた。

幸助はジェスチャーでどうにか意思疎通できないかと、いろいろな動作を試みる。だが不思議そうな顔で首をかしげるホルンにまったく通じていないのだと悟る。

第三者から見ると、美女を前にしておかしなダンスを踊る少年といった図だ。本人たちは真面目な表情なのがギャップとなり、さらに笑いを誘うかもしれない。

途端に幸助は不安と焦りに包まれた。どこだかわからず、なぜここにいるのかわからず、どうしてこんなことになっているのかわからない。その不安は表情にも表れる。通じないとわかっていても必死に言葉を発して話しかける。

幸助の目が潤み、不安がっているとわかったホルンは、幸助が落ち着くように頭を撫でる。街で泣いている子を親が撫でて泣きやませていたのを思い出したのだ。怖がらなくてもいいとほほえみを浮かべ、ゆっくりと撫でる。貴方の敵ではないと想いを込めて、幸助が落ち着くまで撫で続けた。

ホルンのおかげで少しは落ち着けた幸助は、もういいとホルンの手をとって撫でるのをやめさせる。

「ありがとう」

通じないとわかっていてもありったけの思いを込めて礼を言う。

ホルンは笑みを浮かべたまま首をかしげた。

ホルンが自分の胸に手をあて言葉を発する。

「ホルン」

名前だけでも知らせようとしたのだ。もう一度名前を言って、次は幸助を指差した。なにをしているのだろうと幸助は首をかしげる。それを見てホルンはもう一度同じことを繰り返す。

さらにもう一度繰り返したことで、幸助はようやく名前を言っていると推測できた。

「幸助」

「コースケ？」

指差されたときに自分の名前を言う。ホルンが発した自分の名前にうなずく。もう一度指差され名前を言われうなずいた。

そうしてほほえんだホルンに安堵《あんど》した。名前だけでも伝えることができて、意思疎通が絶対に不可能ではないと証明され、不安が少しだけ晴れたのだ。

名前を伝えることができたホルンは、幸助を不安にさせないよう表情は笑みのままでこれからどうするか考え込む。

実家に帰るのは論外だ。逃げ出したのだと勘違いされるだろう。家族は渋りつつも受け入れるかもしれないが、街や国中の人間はなんてことをしたのかと怒り出すに決まっている。そうなると実家に迷惑がかかる。竜は死んだのだと説明しても信じてはくれないだろう。何人もの猛者が挑み死んでいったのだから、倒せない存在なのだと思い込んでいる。幸助を連れて行っても信じてくれそうにない。外見だけではとても倒せそうには見えないのだ。それに信じてもらえても貴族たちにいいように利用され、使い潰される可能性すらありえる。なにせ伝説の竜殺しの再臨だ。使いようによっては外交の切り札にもなりうる。命の恩人にそんな目にあってほしくはない。

（それに交渉事が得意そうにも見えないし。とりあえずエリスのところに行きましょう。あそこなら街から離れているから隠れるのにちょうどいいし、エリスも人々に私のことを言わないし。問題はここから離れてるってことよね。この子素直についてきてくれるかしら？）

方針を決めたホルンは立ち上がる。つられるように幸助も立ち上がる。

万が一エリスが渋ったときのことを考えホルンは土産を持っていくことにした。土産とは竜の鱗《うろこ》だ。滅多に手に入らない高価な材料だし、竜が死んだことの証明にもなる。

幸助がぶつかり割れている箇所に手をかけて力いっぱい引っ張る。成人男性と同じ程度は力があるホルンでもはがすことは困難で、思いっきり引っ張っても肉からはがれない。

「んーっはがれないわ、困ったなぁ。コースケ？　手伝ってくれるの？」

ホルンの行動を見て、鱗が必要なのかと考えた幸助は手伝うことにした。ホルンが苦労している姿を見て、はがすのは大変なのだろうと思って両手を使ったのだが、シールのように簡単にはがすことができた。ホルンはよほど力がないんだなと思いつつ、これならば片手でも大丈夫だと判断し、次々と鱗《うろこ》をはいでいく。

そんな幸助を見てホルンは驚きの表情を浮かべている。

(見かけによらないのね)

楽にはがせるような筋力を幸助が持っているとは思っていなかったのだ。だがその驚きもすぐに納得に変わった。竜を殺せるのだから、見た目と違いすごい力を持っているのだろうと。

両者ともに勘違いが入っているのだが、指摘する者もおらず、できる者もいない。そのまま勘違いすることとなった。

五十枚ほどはがしたところで幸助はホルンに止められた。鱗を渡すような仕草をするホルンに幸助は鱗全てを渡す。ホルンはショールに鱗を包んで端を結び、肩にかけた。

そしてホルンはエリスの家がある方向を指差し、幸助の腕をひっぱり歩き出す。

2　知り合いは魔女

長く歩き続け、どこまで行くかわからない幸助は時折不安にかられたが、そのつど不安を察したホルンが気遣うように顔を向けてくるので、一人ではないと不安を晴らすことができていた。情けないところを見せたくはないという見栄もあった。不安は見抜かれていたので、あまり意味のない見栄だったが。

（弟がいたらこんな感じなのかしら）

幸助が気丈に振る舞う様子にほほえましさを感じ、そんなことを思ったホルンはクスリと笑みを浮かべた。

歩いていれば当然お腹がすく。そんなときはホルンが森の中の果物などを見つけ出し、ホルンが先に食べて見せることで大丈夫だと示した。獣に食べられることがないので森の中には食べ物が腐るほどある。

喉が渇き、見つけ出した小川では水の透明度に幸助が綺麗だと感心し驚くといった場面もあった。なぜ驚くのかホルンにはわからない様子だった。

疲れると休憩し、困ったことがあればホルンが解決するというパターンで二人は進む。

そして歩き始めて七時間後、山を下りた二人は小さな村を発見した。

頼めば一晩くらいは泊めてくれるのではと、安堵《あんど》の表情を浮かべそちらへ進もうとする幸助をホルンが止める。

どうしてと振り返った幸助は初めてホルンの困った顔を見た。不安そうな感情も見つけることができた。

ぐいぐいと村からそれるように歩くホルンに、幸助は素直についていく。なんとなくだが村に行きたくないのだとわかったのだ。

さらに二人は歩く。ずっと歩き通しだったおかげで、振り返り見える山は小さくなっていた。

やがて日が暮れた。

今日は月が夜空を照らしている。平野を歩いていれば多少歩きづらいだけですんだが、今歩いている場所は林の中だ。

暗い中を歩くのはホルンも不安があり、灯りの術で周囲を照らしている。小さな光の粒が二人の周囲を舞っている。

これを見たときの幸助の反応を思い出し、ホルンは小さく笑みを漏らした。はしゃぎようがすごかったのだ。珍しくもないこんな術で今日初めての表情を見せてくれた。今も光の粒をつつこうとしている幸助を見て、ホルンは肩から力が抜けていった。守らないとという思いがあるのだが、はしゃぐ様子に逆に癒やされて守られているとも感じた。

少し歩き小さな泉を見つけたホルンはここを野宿地点と決めた。手にはここまでに拾った枯れ枝がある。それを地面に置くと、幸助も枝を置く。その様が親のまねをする子のようで、ホルンは再び笑みを漏らした。

枝からとった枯れ葉に小さな火を飛ばし燃え広がったところで、枯れ枝を追加したき火を起こす。

実はホルンは野宿は初めてだった。なにをすればいいのかわからないが、火はあったほうがいいと判断したき火を作ったのだ。火があれば獣が近づきづらいということも知らない、夜がふけて冷え込んだときのために燃やしておいたほうがいいとも知らない。ただ安心するからという理由でたき火を作ったのだった。

夕食は山から持ってきていた果物だ。味は薄いが空腹は満たせるので、二人は分け合い食べる。

食事を終え、汗や汚れが気になったホルンは水浴びは無理でも、拭くくらいはできるだろうと立ち上がる。

そのホルンに幸助はどうしたんだろうと視線を向けた。ホルンはこれから体を拭いてくると伝えようとする。命の恩人でも裸体を見られるのは恥ずかしいので、ここで待つようにとジェスチャーをしてみた。

「tjk,kl@?」

だがうまく伝わっていない。困ったと顔をしかめるホルンに幸助はなにかしでかしたかと不安そうな表情になる。

「hyjk;:jn!」

勘違いさせたことは理解できたホルンは慌てて幸助に近寄り、どう伝えればいいかわからないまま頭を撫でたりほほえんでみたりして慰める。そうしながら会話不可能ということの不便さを再認識している。

（水場に連れて行って、拭くまねをすれば伝わるのかしら？）

ホルンは幸助の手を取り、一緒に泉に向かう。

ハンカチを水に浸して、顔や腕を拭いていく。見ている幸助に、服を脱ぐまねをして体を拭きたいのだと伝える。

首をひねる幸助に、伝わらなかったとホルンは困惑の表情を浮かべた。

しかしなにかに気づいたように顔を赤くした幸助が、背を向けて足早に去っていくのを見て、伝わったのだとほっと胸を撫で下ろす。

汗や汚れを拭きとって少しさっぱりとしたホルンが戻ると、顔を赤くした幸助が慌ててなにかわからない仕草をしていた。

幸助は気がきかなかったことを謝っているのだが、今度はそれをホルンがくみ取れず、意思を伝えるのに再び時間がかかる。

そうして不自由な意思伝達をしながら時間が流れ、することがなくなる。

言葉が通じれば会話を楽しむことができた。互いに聞きたいことはたくさんある。会話可能ならば、それこそ夜通し話していただろう。

だがそれはもしもの話だ。今は黙っているしかない。

ホルンはたき火の音や鳥と虫のざわめきを聞くうちに、まぶたが重くなっていく。もともと睡眠不足ということもあるが、ここまでくるのに魔法で疲労を回復してきたため、精神的にも体力的にも疲れていた。魔法でも使わないとホルンの体力ではここまで歩き続けることは不可能だったのだ。黙々と歩き続けるホルンを見て、幸助は体力あるなと勘違いしていた。

座ったまま寝入ってしまったホルンを見て、幸助はそのままでは寝づらそうだと思い、ホルンの頭を自分の太腿《ふともも》にのせる。

「これで少しは寝やすくなるかな。体力あるって思ってたけど無理していたんだな。ここまで頼った分がこれくらいで返せるとは思わないけど、少しは返せたはず」

起こさないように小声でつぶやいた。

幸助はゆっくりと寝転がる。頭上には木々の隙間から星が見えた。ここまで綺麗な夜空は生まれて初めて見たのだが、今の幸助にはそれを楽しむ余裕はない。

「それにしてもここどこなんだろ。可能性としては異世界なんてことも考えられるけどまさかね？　ここは地球で一般人には知られない世界があって、たまたまそういったことに巻き込まれただけ、であってほしい。それはそれで嫌なんだけど、異世界なんてものに放り出されるよりましだし」

　重い重いため息が吐き出される。

「この人もなにかわけありなんだろうな。でないと村に行ってたはずだし。村に行けない人が目指してる場所ってどこだ？　やばい場所な気がしてきた。でも頼れる人がこの人しかいないんだよなぁ。悪い人じゃなさげだし、ついていくことには不満ないんだけど」

　再度重いため息が吐き出された。

「わからないことはまだある。体力がおかしい。俺ってここまで体力ないはず。歩き続けることはできるだろうけど、疲れがないってどうよ？　ほんとどうなってんだか。誰でもいいから教えてくれんかなぁ」

　あーもうっと言葉にならない胸中の感情を吐き出す。答えが返ってくることを期待していないつぶやきに、当然のごとく返答はなかった。

　そのままぼんやりとしていた幸助はいつのまにか寝息を立て始めた。寝ている間に幸助のまぶたから涙が流れる。不安や郷愁が高まって無意識にあふれ出たのだ。

　火が消えて寒くなり、ホルンが目覚めるまで二時間ばかりが経過した。

起きたホルンは幸助の足を枕にしていたことにすぐに気づく。

「泣いていたの？」

礼を言おうと幸助の顔を見たホルンは涙の乾いた跡を見つけた。

「あなたにもなにかの事情があるのかしら？」

そうつぶやいたホルンは幸助の頭をそっと撫でた。

隙だらけの二人は獣や魔物にとって格好の餌だ。しかしそれらが近寄ってくることはなかった。むしろ近寄らず息を潜めている。

火が怖いのではない。原因は持ってきた竜の鱗《うろこ》だ。竜の匂いを放つ存在に近寄る気はないのだ。匂いで危険がわからないのは人間くらいだが、荒くれ者や盗賊はここらにはいない。お土産がお守りとなり二人を守っていた。


山を出て四日目の昼過ぎ、ようやく二人はエリスの家に辿り着いた。

幸助は薄汚れてはいるがさほど疲れをみせていない。一方でホルンは疲労困憊《こんぱい》の一歩手前というところまできている。整備された道を歩かず、人目を避けるため林などを通ってきたためだ。靴もデザイン重視のもので、歩くには不自由する。

幸助は何度かジェスチャーで背負うことを提案したが、通じていないのか遠慮なのかホルンがうなずくことはなかった。

ホルンが断ったのは、気恥ずかしさというか、年長者としてかっこ悪いところを見せられないという思いからだ。

ホルンが扉を軽く叩く。返事はない。そこで諦めずにホルンは何度も叩いた。いることを確信しているかのように。

やがて扉の向こうからいらだたしげな足音が聞こえてきた。

「しつこい！　いったい誰じゃ!?」

勢いよく開けられた扉から二十代後半ほどと思われる女がでてきた。艶やかな黒髪は乱れていて、普段は知性の輝きを見せる藍色の目も今は怒りに染まり、衣服もいい加減に選んだといった感じだ。人を寄せ付けない険は感じられるものの容姿が整っているので、髪にくしを通し服に気をつかうだけで誰もが美人と思う容姿に様変わりするだろう。

足音が聞こえてきた時点でホルンは扉から離れており、ぶつかることはなかった。

「十五日ぶりくらいね、エリス」

にこやかに告げるホルンの顔をエリスはポカンとした顔で見ている。顔から一気に険しさが抜け落ちた。

「……ホルン？　ど、どうしてここに？」

「行くところがここくらいしか思いつかなくて」

「逃げてきたのか？」

「助かっちゃった」

あっけらかんと放たれた言葉にエリスは戸惑いの表情を隠しきれない。

「た、助かった？　とにかく無事でよかった！　よく見ると顔色悪いじゃないか、早く家に入りな！」

「ありがとう。エリスならそう言ってくれると思ってた。コースケ」

二人の会話を不思議そうに見ていた幸助に振り返り、ついてくるように手招きする。二人の理解できない会話をぼんやり聞いていた幸助は手招きに応じて近づく。

その仕草でようやくエリスは幸助の存在に気づいた。

「誰じゃ？」

「命の恩人」

ホルンのその一言で幸助がなしたことを悟り、まじまじと見る。

観察するかのような視線に、幸助は居心地悪そうな表情を浮かべた。先ほどまでの怖い雰囲気に近寄りがたさを感じている。

「あんたも中に入るといい。詳しい話は中で聞くとしよう」

「コースケは私たちの言葉わからないから」

「……そうなのかい？　じゃあどうやってここまで」

「身振り手振りで」

「よくそれでここまで無事に辿り着いたものじゃ」

「苦労したけど、悪い子じゃないしね」

「子って……まあ十四くらいだろうから、十九のお前さんから見れば子供の範疇《はんちゅう》か」

幸助は日本人としては一般的な十七才なのだが、エリスたちからは少々幼く見えた。欧米の者からは日本人は幼く見えるといったことと同じ感覚なのだろう。

いつまでも玄関で話していても仕方ないと、三人は家に入った。


「散らかってますね」

家に中に入ったホルンの第一声だ。ホルンの言うとおり、家の中は空き巣にあったかのように散らかっていた。物であふれているのではなく、なぎ倒され床に散らかりっぱなしなのだ。一緒に家に入った幸助は泥棒にでも入られたのかと驚いている。

十五日前ホルンが訪れたときはある程度片付いていたので、エリスは整理整頓ができないわけではない。これはホルンを助けることができず荒れて、そのままにしてあったのだ。

「……ちょっとね」

「あとで片付けましょうか」

「ボルドスが帰ってきたらやらせるからこのままでいいさ」

「しばらくお世話になるかもしれませんから、やりますよ」

「そうかい？　できる範囲で頼む」

散らかっているものをよけて三人はリビングに入る。

出された茶菓子とお茶を飲み、ホルンと幸助はほっと息を吐く。刃物も鍋もなかったので温かいものを飲み食いしていなかったのだ。じんわりと温かさが体中に広がっていく。

これこそ文明人の食生活と、幸助は心中で考えている。

「そろそろなにがあったか聞きたいのだが」

「その前に通訳の魔法を使ってあげてほしいの。たしか使えたはずよね？」

「ああ、そのほうがいいね」

エリスは椅子から立ち上がり、幸助のそばによる。人差し指を幸助の額にあて、魔法を使う。

なにをされるのかと不安そうな表情になる幸助の手をとって、大丈夫だとホルンは笑みを浮かべた。

ホルンの笑みに幸助の不安は晴れる。じっとしていると熱が頭部を貫通した。

「これでいいはずじゃ。私たちの言葉がわかるかい？」

「……わかる……言葉がわかる！」

わかると連呼し跳ねて喜ぶ幸助をホルンはほほえましそうに見ている。

そんな幸助をエリスはうるさいと頭をはたいて止めた。

「なにすんのさ!?」

「ほこりが舞うだろう。お茶に入るかもしれんじゃろうが」

「ごめんなさい！」

眼光鋭いエリスの迫力に負け、即座に謝る。

「この程度の威圧で……本当に竜殺しなのか？」

「たしかに竜は死んでいて、そばにコースケがいました。竜は怪我をしていて、コースケも致命傷を負ってたわ。証拠は私が生きていて、国が無事なこと。それとこの鱗《うろこ》です」

持ってきた鱗をテーブルに置いた。

「……あのバケモノの鱗かい？」

「はい」

「触っても？」

「どうぞ。もともと差し上げるつもりでしたから」

エリスは鱗を一枚とり、間近で眺めていく。縦十センチ横六センチ厚さ三ミリの楕円《だえん》形の黒い鱗。

以前見た竜と同じ色で鱗の形も同じだと確認、軽く叩いて頑丈さを確かめる。指先に炎を出現させ、それであぶり反応を見る。焦げず、すす一つつかない、その反応を見て忌々《いまいま》しげに鱗《うろこ》をテーブルの上に放る。

「たしかにあの忌々しいバケモノの鱗のようだの。死んでないとこんなにたくさん手に入れられないか。コースケといったか、竜を殺したときの話を聞かせておくれ」

「状況っていっても、俺もなにがなんだかさっぱりで。そばにいた黒い奴は竜だったの？」

状況を把握していない幸助にはこう言うしかない。

この言葉にホルンとエリスは顔を見合わせる。

この国に居座っていた竜は世界的にも有名だ。直接見たことのない者でも風聞で姿くらいは知っている。なにせ黒鱗の竜はいまのところ、あれただ一匹だった。それを知らないとはどういうことなのか。

「結論を急ぎすぎたのかもしれんの。順序をおっていこうか。お前さんの名前はコースケでいいんじゃな？」

幸助はうなずく。

「私の名前はエリシール。親しい者はエリスと呼ぶ。お前さんは、まあ好きに呼ぶといい」

初見の者にエリスと呼ばせてもよいと思うのは初めてだったが、なぜか許す気が湧いた。

「じゃあエリスさんで」

許そうとエリスはうなずく。

「私はホルン。ホルン・コルベス・ストラーチ。ようやく正式に自己紹介ができました」

「俺は渡瀬幸助。渡瀬が家名で、幸助が名前。ここにくるまでいろいろとありがとう」

「助かったのはこちらなのだから、お礼なんていいわ。むしろこっちがお礼を言わないと。それにしても家名が前ということはホネシング大陸の出身？　あそこの大陸の国のいくつかは家名が前にくるようになっていたはず」

「……出身地は日本ってとこ」

大陸名を聞いて、どうやら本当に異世界にきてしまったようだと幸助は気持ちが沈む。そんな気はしていたが、改めて突きつけられるとへこむ。

ホルンとエリスはその名前の国に聞き覚えはない。

「どんな国なのだ？　特徴を教えてもらえればわかるかもしれん」

幸助的には結論が出ているのだが、自分のように来た者が過去にいたかもしれないと思い、特徴を述べていく。

幸助の言葉を聞いても、二人には該当する国を思い浮かべることはできなかった。

「島国で、縦長で、四季があって、大陸のそば、治安がよく、世界でも名の知れた国。島国と聞いて思いつくのはベレレ諸島じゃが、名の知れた国は別名じゃしのう」

「ニホンというのはコースケたち自国民特有の呼び名でしょうか？」

「そうだとしてもほかの条件に見合う国はないんじゃ。これはもしかすると」

エリスは脳内から一つの言葉を見つけだす。これであっているのか確定づけるため、さらなる質問をする。

「セブシック、カルホード、エゼンビア、ホネシング、ベレレ。これらに聞き覚えは？」

「ない」

幸助は断言する。

「アレイル、プラーネ、テリストン。これらに聞き覚えは？」

「ない」

ここでホルンが驚いた顔になる。

エリスが挙げた三つは世界を支える上級の神なのだ。子供でも寝物語で一度はそれらの話を聞かされる。知らないなんてことはありえない。

エリスはこの返答で確信した。

「コースケは流離《さすら》い人じゃな」

聞き覚えのないホルンが首を傾げている。幸助はなんとなくそれの意味するところを理解できている。

そんなホルンと幸助に、エリスは以前読んだ書物を思い出しつつ説明する。

「流離い人とはこの世界の外から来た者を指す。過去に二度、そういった者が存在したといわれておる。彼らはこちらにはない知識や技術を用いて、世界に栄華と混沌《こんとん》を与えたという。言葉が通じなくて当然じゃ。使っていた言葉はここには存在せんからの。大陸や神の名を知らなくて当然じゃ。これらはこちらにしか存在せんからの」

「その過去に来た人たちって元いた世界に戻れた？」

恐る恐る発した幸助の質問に、エリスは首を横に振る。

「皆、この世界にて生を終えたようじゃ」

「……帰る方法がない？」

「私は知らぬ」

表情を暗くする幸助に、申し訳ないと思いつつも断言する。

「魔法とか存在するんだから、召喚の反対の魔法とかないの⁉」

「私は魔法についてはひとかどのものと自負しておるが、世界の外へ送り出すという魔法に心当たりはない」

「エリスは大陸中に名の知られた魔法使いなの。そのエリスが知らないというのだから魔法を使って帰還する方法はないのかもしれません」

「えっと……ほかになにか」

すがるような表情の幸助に二人は頭を下げた。

「すまぬ、帰還に関しては私たちでは力になれそうにない」

「すみません」

望みを絶たれた幸助はがくりとうなだれる。

泣きわめいても無理はないとエリスは思ったのだが、幸助にそんな様子はない。精神的な強さを持っているのかと思ったのだがそれは違う。幸助がショックを受けているのは事実だ。しかし本人も気づかぬ心の奥底で帰らなくとも大丈夫だという思いがあり、泣きわめくといったことにはならなかった。

実はエリスには一つだけ思いついた方法がないわけでもなかった。しかしそれは実現させる可能性が低く、徒労に終わりかねなかった。

思いついた方法とは神に聞くというものだ。地球とは違い、こちらには神が実在している。その神に会い、帰還できるか聞くというのがエリスの思いついた方法なのだが、どこにいけば会えるのかわからないし、会えたとして帰還方法を知っているとはかぎらない。

ここでその方法を言って期待を膨らませ、苦労の果てに面会を成し遂げ、知らないと答えられたときの心境を思うと、黙ったままのほうがいいと思えたのだ。エリスなりの心遣いだった。

「慣れぬ野宿で疲れておるだろう、とりあえず休んではどうじゃ？　続きは起きてからとしよう」

これ以上は話を続けにくいと思ったエリスの提案に、それがいいとホルンもうなずいた。

「コースケを客室に案内してくれ。その間に風呂を沸かしておく」

「助かります」

礼を言ってホルンは幸助を客室の一つに連れて行く。

ベッドに寝転がった幸助はこれからのことを考える間もなく、数日ぶりのベッドの寝心地のよさにストンと意識を沈めた。


再び幸助は夢を見る。ここ数日見ている夢だ。場所は変わらず病院。同じく見覚えのある女と病室で話している夢。

違いがあるとすれば、話す様子に四苦八苦する様子が見られなくなったことか。ときおり笑っている様子も見えた、そんな夢だ。


風呂上がりに様子を見にきたホルンが戸を静かに開けると、幸助はくーくーと寝息を立てて熟睡していた。悩みなど見えないその表情に、ホルンは、ほうっと安堵《あんど》の息を吐いて静かに戸を閉める。

ホルンはエリスに一声かけて、遊びに来たときに使う部屋に向かう。ホルンも連日の疲れで、ベッドに入って一分もたたずに寝息を立て始めた。

エリスは二人の眠りを妨げないように静かに過ごす。ホルンが生きていることの喜びをかみ締めながら。

3　突発的超人誕生の解説

時間にして午後七時を過ぎたあたり、五時間ほど眠った二人は食べ物の匂いで起き出してきた。ある程度満たされた睡眠欲を食欲が上回ったのだ。

「起きてきたか。こっちに座るといい。すぐに準備は終えるからの」

首をかしげる幸助に通訳の魔法の効果が切れていると思い至り、エリスは再度魔法を使う。

テーブルの上には三人分のスープとパンが並んでいる。フライパンからはジュージューと肉類の焼ける音が聞こえてきた。

肉から出る脂の匂いに思わず幸助の喉が鳴る。座りましょうとホルンに誘われ、素直に従った。

エリスが最後の一品をテーブルに置く。温野菜が添えられたハムステーキだ。

食べる前にホルンとエリスが同じ動作を行い、目を閉じた。

「それって宗教的なもの？　俺もやったほうがいい？」

幸助の問いに二人は困ったような表情を見せた。

「今私たちがしたことは世界神に感謝を捧げるという儀式の略式なのよ。私たちにとっては当たり前のことなんだけど、コースケもしたほうがいいのかしら？」

「周囲に怪しまれたくないならしたほうがいい。急いでいるときならばしないが、ほとんどの場合で皆してることだからの。国によって少しずつ違った形になる場合もある。他国にいったときはそちらにあわせてもいいし、自国の作法でもいい」

「じゃあ、俺の場合はこれかな？」

いただきますと手を合わせる。

「コースケの世界にも似たものがあるのかい？」

「これは神様っていうより、食材になってくれた植物と動物と料理を作ってくれた人に感謝を捧げる作法なんだよ。外国には神に感謝を捧げる作法もある。でも俺はその宗教には属してないから」

幸助が言っているのはキリスト教の作法だ。幸助の家は仏教だ。

ちなみに幸助自身はそれほど信仰心はあつくない。自分の都合のいいときに信じて、願いがかなわないと文句を言う。そんなありきたりの信仰心だ。

「調理人と食材に感謝か。こちらでは聞かない解釈だね。まあ幸助はそれでいいと思う。それをしていれば、まわりが勝手に故郷の作法なんだろうと理解するだろうさ」

「わかった」

話はこれで終わり食事が開始される。

一度手をつけると、久々のまともな料理に幸助は夢中になる。うまいと連呼し勢いよくたいらげていく幸助を、ホルンはほほえましそうに見て、エリスは懐かしそうに見ている。ホルンもようやくありつけたまともな食事に、いつもより多めに食べることとなった。

二人のおかげで料理はきれいさっぱりなくなる。作り手も嬉しくなるくらいの食べっぷりだ。

ごちそうさまと手を合わせる幸助に、それも作法の一つかとエリスが尋ね、幸助はうなずいた。


ホルンとエリスが食器を片付け終わり、話し始める。話題は寝る前の続きだ。

おずおずと切り出すホルンだが、幸助はそれほど沈んでいない。寝て食べたことで余裕ができた。もともと切り替えが早いほうなのだ。両親や友達には諦めが早いとも言われていた。原因不明の安堵《あんど》も余裕の一因だ。

「いつまでも悩んででも解決しないしね。もしかすると将来ぱっと解決策がでてくるかもしれないし。それよりもこれから先のことを考えないと。俺この世界になにもないし、なにも知らないから大変そう」

地球でも国が違えば常識が変わる。まして世界が違えば、どれほどの違いがあるのか幸助は予想できない。

なにもないということに自分で言って気づいた。この世界には自分の安全を保障する後ろ盾がないのだ。今はいい、エリスに泊めてもらっているから。ここを出て行けば幸助に行く場所はなく、生きていけるかわからない。

幸助の心が不安にかげる。

「帰還については無理だけど、これからこの世界で生きていくことなら力になれます。だから頼ってもらっても大丈夫」

「私もホルンの恩人を放り出すようなまねはせぬよ。困ったことがあれば頼るといいさ」

不安を察した二人の温かい言葉に、ありがとうと幸助は頭を下げた。

「この世界の知識とかは後でいいとして。コースケがこっちにきて、ホルンと出会うまでになにがあったか聞きたい。話してくれないか」

隠すようなことでもないので幸助はうなずいて話し出した。と言っても自分で確認したように詳しいことは不明なままなのだが。

「気づいたら空にいて落ちた。簡単に言うとこんなとこ」

続いてホルンが幸助を見つけたときのことを話し、なんとなくエリスには顛末《てんまつ》がわかった。

「コースケはきっと竜の弱点にすごい勢いでぶつかったんじゃろうな。肩の粉砕なんぞ並大抵の勢いでは起きんからのう」

「そ、そんな大怪我でよく生きてたな俺」

そんな重体であったことに顔が青ざめている。今まで生きてきてそんな大怪我はしたことがなく、どれほどの状態だったのか想像もつかない。

「ホルンが治療したことと竜の力を吸い取ったおかげじゃな。もう一つ原因があるが、それのことに今は誰も気づかない。

首をかしげる幸助に詳しい説明をする。

「ホルンは大陸有数の医術者じゃ、こと怪我を治すということに関して優れた才を持っておる。そのホルンが全力で治療したのなら、どのような怪我でも完治して当然じゃ。生きてさえいれば胴体が真っ二つにちぎれていても、治癒可能なのではとまで噂されておる」

「ホルンってすごいんだ。あ、あと助けてくれてありがとう」

凄腕の美人女医という部分に、すごく人気がありそうだと思いつつ頭を下げた。

「怪我人がいれば治療するのは医術者として当然のことです。まして命の恩人のためならば全力を尽くさないはずがありません」

恩人という言葉に幸助は反応する。

「そこなんだ！　命の恩人ってとこがわからない。俺が竜を殺したことで、どうしてホルンの命を救ったことになんの？」

「ホルンは生贄《いけにえ》だったのさ」

「生贄ってーと、竜はホルンを食べるつもりだったってこと？」

「そのとおり。あのバケモノは三十年前からこの国に居座っててな、年に二回の生贄を要求してきたのさ」

「ありふれた話だなぁ」

「たしかにのう」

エリスは幸助の言葉に同意したが、二人の捉え方は違っている。

幸助は童話などの作り話としてありふれた題材と言ったのに対し、エリスは過去実際に幾度もあったことだとうなずいた。

その違いに気づかないまま会話は続く。

「その生贄には条件があっての。力の強い人間の乙女を食らいたがったのじゃよ、あれは。それが受け入れられないと好き勝手暴れた。竜が壊滅させた村や街は十を超える」

「退治しようとした人はいなかったの？」

物語ならば英雄や勇者が現れ、竜を退治してめでたしめでたしだ。

「何度も屈強な冒険者たちや勇敢な騎士や英雄と呼ばれた戦士が挑んだがな、皆返り討ちじゃった。そのうち人間では倒すことは無理だと、竜に従うことを選択するようになっていった。そしてホルンの番がきたのじゃよ」

「エリスさんはすごい魔法使いなんでしょ？　どうにかできたんじゃ？」

物語ならば、英雄や勇者を導くのは魔法使いの役目だろう。だがこれは現実の出来事だ。

エリスはうつむく。そのエリスを励ますように、ホルンがそっと肩に手を置く。

「エリスもどうにかしようと動いてくれたの。そしてエリスの使った魔法はたしかに効果を発揮した。エリスが使ったのは、竜を弱らせる魔法。でも弱っても人間では太刀打ちできなかった」

「……名が知れておるといっても、守りたい者を守れる力もないのじゃよ。情けないことだ」

場が静かになる。ホルンは変わらずエリスの肩に手をあてている。その手にエリスはうつむいたまま自分の手を重ねた。

自身の言葉のせいで沈んだ雰囲気を変えるように幸助が口を開く。

「あ、えと、さっきの続きなんだけど俺が竜の力を吸い取ったってどういうこと？」

幸助の気遣いにのってエリスは顔を上げた。

「竜を殺したことで力を吸収し、強くなったのじゃ」

「吸収ってどういう？」

「お前さんがいた世界には吸収の概念がないのか？」

「吸収っていうと、食べ物の栄養を胃が吸収するとか、布が水を吸うとか、こういったことに使われる言葉だよ」

「ふむ……そっちにはない概念のようじゃな。吸収というのは魔物や獣などを殺したとき、それらの強さを吸い自分のものとすること」

ＲＰＧでいうところの経験値のようなものだなと幸助は思った。

つまり大量の経験値を手にいれレベルアップし、死ににくくなった。本来なら死んでいたであろう状態だったのが、死へのカウントダウンを先延ばしできたためにホルンの治療が間に合ったのだ。

（さすが異世界。経験値とかが実装されてるとは）

こんな状況だが、少しだけ心弾むものを感じた幸助。

吸収とホルンの治癒術が重なったことで、幸助は生きていられる。

ちなみに吸収は経験値とまったく同一というわけではない。同じ種と戦っても同じだけの力を吸収し続けるわけではないのだ。二度三度と戦ううちに徐々に減っていき、最後には微々たるものしか得られなくなる。

「強くなったって言われても実感が……あ。ここに来るまで疲れがほとんどなかったのはそれが原因か？　俺の体力じゃ、こんなに動けないと不思議だったんだ」

否定しようとして、思い当たる節があることに気づく。

「理解できたようじゃな。どれお前さんの強さを調べてみようか」

「計測器を持っているの？」

ホルンの問いにエリスはうなずき、立ち上がる。

「ガレオンが古くなっている計測器を新品に代えるというのでな、新たな魔法か魔法具作成の参考になるかと一つ買い取ったのさ。たまに使うのなら、まだまだ長持ちする代物じゃよ」

部屋を出たエリスはすぐに戻ってくる。手には四つに折りたたんだ新聞ほどの大きさの金属版と金属カードを持っている。

持ってきた金属板をテーブルに置く。

「この上に手をあててくれ」

「……なにか浮かんできた？」

手を板に置くと指先から手首へ順に熱が移動した。幸助が手をどけたあと、表面に文字らしきものが浮かんできた。当然幸助には読めないものだ。

エリスと横から覗き込む形でホルンが見ている。二人の表情が驚愕《きょうがく》に染まる。

「……わかっていたことではあるが、このように表されると改めて驚くのう」

「……竜殺しってここまですごいものなんですねぇ」

言葉に込められたものは驚きと呆れが半々といったところか。それだけ表示されたものがすごいということだろう。

「説明してほしかったり。文字読めないんです」

感心する二人に、おずおずと頼む。

「ん、わかっておる。まずここじゃが」

エリスは浮かび上がった情報を一つ一つ説明していく。

まず、筋力、頑丈、器用、知力、精神のステータスがある。筋力、頑丈、器用は読んで字のごとく、知力は知恵と知識量を示し、精神は魔法に対する耐性や精神的柔軟性を示している。ほかに体力、魔力、素早さの三つがあり、これらは順に筋力と頑丈の平均、知力と精神の平均、筋力と器用の平均で表される。

ステータスの表示は数ではなく、A^+～E^-の十五段階で表される。人間基準で、Eで普通、Dで優れている、Cで一流、Bで怖がられ、Aで崇《あが》められる。

幸助のステータスは筋力B^+、頑丈B、器用B、知力C^+、精神C^-となっている。

「一つもAってないんだね」

たいしたことないんだなという思いを込めて言った幸助に、エリスとホルンは呆れた表情となる。

「あーうん……知らないからこそいえる言葉じゃの」

「さすがにAがあったら驚きを通り越しておかしいです。計測器の故障を疑いますね」

「そうなの？」

自身の抱いた感想とは全く違う反応に幸助は首をかしげる。

「戦いを生業としていない成人男性が筋力E+、頑丈E+、器用E、知力E、精神Eだ。それと比べてもそんなこと言えるかの？　ちなみにお前さんが殺した竜はオールB+。これは下級神クラスに入っておる。そのバケモノで一国壊滅させることが可能なのじゃよ。お前さんの平均はB-、能力値だけを見れば一都市を壊滅させることが可能ということになる」

「……もしかしてめっちゃ高い？」

「もしかしなくても高いわ。後にも先にも人類最強と呼ばれた英雄セクラトクスで平均Cなのですよ？」

「私は平均C-だ。それでも大陸に名を響かせておる」

「手に入れたものが馬鹿でかすぎて実感湧きにくいです」

幸助は、むしろ手に入れたくなどないわと引いている。

戦った経験など皆無なのに、能力的には人間で一番なのだ。アンバランスさに苦笑いしか出てこない。

「無理ないのう。吸収という概念もなかったわけじゃからな。暮らしていけば嫌でも実感するじゃろうて。次はギフトだ。これはお前さんは持ってないが、称号がギフトを兼ねておる」

「称号も気になるけど、ギフトの説明をお願い」

「ギフトというのは個人が持つ特殊な能力のことだ。私とホルンは先天的ギフトで、コースケは後天的ギフトとなる」

「神様からの贈り物という説もあるからギフトと名づけられたのよ。私は治癒3、エリスは魔法融合2を持っているわ。先天的というのは生まれつき持っているもので、後天的というのはなんらかの理由で特殊な能力を手に入れた場合ね」

「数字はなにを表してるの？」

「これは効果の大きさと多様性を表しておる。数字は1から3までで、数字が大きいほど効果も大きい。成長することがあるが、どうやれば成長するのか明確には解明されておらんな。ギフトに関連した行動をとり続けるといいなどと言われておる」

「この世界の住人全員が持ってる？」

「いや持っていない者もいる。だいたい十人に一人だな、持っておるのは」

そう珍しくもないものなのだなと幸助はうなずいている。

持っているといっても、潜在的に持っていて発現していない者も含めている。発現させている者に限定すると百人に一人といった感じになる。

「次は称号の説明だ。これは神から与えられたり、人々の認識で持つに至ったり、行動の結果で得られるものじゃ」

「有名どころでいうと、大昔の英雄セクラトクスですね。彼のなした巨人殺しがそのまま称号となっています」

ホルンの補足にエリスはうなずいて続ける。

「称号は、ステータスやギフトや行動に影響を与えることがある。一人で複数の称号を持つことは可能じゃが、基本的に持っておる称号一つしか効果を発揮させることはできん。意識すれば脳内に持っておる称号が浮かび、その中から好きなものを選ぶことができる。変更は一日一回じゃ。私は優れたる魔女の称号を持っておる。効果は魔力の一段階アップと魔法効果の若干の上昇というものだ。ホルンはレーリルのお気に入りという称号で、効果は医療関連の行動に補正がある」

「レーリルって？」

「医療を司る女神じゃ」

「ふーん。俺の称号は？」

「竜殺し2じゃな。数値がついておるのは先ほども言ったようにギフトも兼ねているからじゃ。効果はステータス全て一段階アップ、先ほどのステータスにはすでに含まれておる。効果はそれだけではないはずじゃ。一段階アップは竜殺し1の効果じゃからの。ほかのギフトの成長の仕方から考えて……上昇範囲がステータスだけにとどまらないといったところじゃなかろうかと思う。つまり全ての行動に補正がつくというものじゃ。推測じゃから当たっているとはかぎらんが」

　この称号が幸助の生き延びたもう一つの理由だ。力を吸収して強くなったところに、称号によってさらに強化され、肉体の持つ自然治癒に補正がついていた。

「なんてチート」

　自身の得た力ながら、その無茶さに呆れの思いが湧いて止まらない。

「チート？」

「反則とかずるいって意味だよ」

　エリスは説明にうなずいた。

「たしかにのう。全ての行動に補正がつくとすれば学習能力にも補正がつくということじゃろうし、すごい勢いで成長していくじゃろうなぁ。ほかの者から見ればずるいだろうの。さすがは最強の竜を殺して得た称号なだけはある」

「最強の竜？」

「うむ。お前さんが殺した竜は、竜種として最高ランクに位置しておったよ」

「……弱点に体当たりされただけで、そんなやつがよく死んだね？」

　最高というのなら弱点など克服しているのではと首をかしげた。

　それは幸助の思い違いだ。どのような生物にも弱点はあり、克服できないこともある。脳や心臓を潰されれば、生物ならば死ぬ。鍛えようのない弱点が、幸助が当たった鱗《うろこ》だったのだ。

「お前さん自身が死にかけるような体当たりだからのう。それはすごい衝撃があったのだろうさ。あとは弱点ってことでほかの鱗《うろこ》よりも若干もろかったのかもしれん。今となっては確かめようのないことじゃがの。いや死体を探ればなにかわかるかもしれんが、あれに触るなんぞごめんじゃ」

「毛嫌いしてるなぁ。当然か。ほかに説明することは？」

「あとはカード以外には特にないか？」

「と思いますね。なにか説明漏《も》れがあっても、その都度説明すればいいですし」

「そうじゃの」

エリスは文字の浮かぶ金属板に金属カードをくっつける。すると文字が消えていく。十秒もすると金属板はもとの何も書かれていない状態に戻る。

金属板から離したカードを幸助に渡す。カードには文字が浮かんでいる。幸助は自分の名前だけはなんとかわかった。

「それは身分証明にもなるからなくさないように。本人が望んだときにのみ情報が表示されるから身分証明用としてちょうどいいのじゃ」

「名前はなんとかわかるけど、ほかにはなんて書いてあんの？」

「拠点としている国と街。そこにはピリアル王国リッカートと書かれておる」

「リッカートが拠点になってるんですか？」

「うむ。おそらくここにとどまっていることで、そのように判断されたのじゃろう。コースケがもともと住んでいた場所は刻みようがなかったんじゃろうなぁ」

「リッカートって？」

「ここから二時間弱歩いたところにある街です。私もそこに住んでいるんですよ」

あちらと言って、ホルンは街のある方向を指差した。

「自動的に浮かぶのは名前と拠点のみ。ほかの情報は所有者の意思で選別可能じゃ。といったところで今日のお前さんに関しての話はここまでじゃ。次はホルンの今後の予定について」

得た情報を整理する意味でも、ここまでというエリスの言葉は幸助にとって助かるものだった。

「俺は席外したほうがいい？」

「いえ聞いててかまいませんよ。ただし面白くもない話になりますけど」

本人が許可するのならと幸助はこの場から動かず、聞いておくことにする。

「ホルンはこれからどうするのか考えておるのか？」

「一応は。しばらくここに滞在させてもらって、その間にエリスに家に連絡してもらいたいなと。今帰ると大騒ぎになりそうです」

「確実に騒ぎになるじゃろうなぁ」

簡単に予想でき、エリスは難しい表情をしつつも笑みが浮かんでいる。

「ですから、家に無事を知らせてもらい、竜が死んだことも確認してもらって、国中の人たちが竜の死を知ってから帰りたいです。そうしないと家に迷惑かけることになりそうですから。伯爵家の娘が逃げたなんて風聞立てられたら、ほかの貴族からいいように責められるでしょうし」

「伯爵家？」

黙っているつもりだった幸助は思わず声を漏らした。

「ええ、私は伯爵家の長女です。末っ子なんですけどね」

「貴族って初めて見た」

すごいものを見たと目が驚きで丸くなっている。テレビでも見たことのない存在が目の前にいることに、幸助は驚いていた。王族は写真で見たことがあるのだが、こうやって身分制度の上位にいる者が目の前にいるといったことは初めてだ。

「コースケの住んでた場所の近くには貴族の屋敷とかなかったのかい？」

「いや貴族自体が俺の国にはいないから。百年以上前は似たようなもので武家ってのがあったけど、それもなくなった。貧富の差ってのはあったけど、身分の差っていわれてもぴんとこない」

「じゃあ国には王や貴族はいなくて平民のみかの。国をどうやって動かしている？」

「王に似たものはいるよ。天皇っていうんだけど、天皇は国の象徴であって国政には関与しないんだ。国を動かすのは国民が選び出した代表者たち」

「キューハン自立都市に近い感じですね」

ホルンは隣の大陸カルホードにある都市の一つを思い出す。

キューハンは昔、国の圧政に立ち向かい自立を勝ち取った都市だ。貴族からの干渉をはねのけて、今でも都市住民の代表者たちによって自立を守っている。日本との違いは選挙権が年齢で決められておらず、中規模以上の店の主たちにのみ与えられていることだ。

「ホルンが生贄《いけにえ》に選ばれたとき、権力でなんとかならなかったの？」

「そんなことしたら最悪は爵位取り上げられます」

「どうして？　貴族って偉そうだから多少の無茶はできるような気がするけど」

「大事のためには小事を切り捨てる。これが貴族の基本的な考え方です。国の危機が私という個人の命で免れることができるのなら、情を振り切って差し出せるのが貴族ですよ。私も死ぬのは怖かったですけど、生贄となることには納得していました」

「考え方は理解できるけど、実行は俺には無理」

自分の命で万や億の人間が助かると言われても、進んで犠牲になって死ぬのは嫌だと幸助は断言できる。

「私たち平民には無理だろうね。簡単に命を差し出せるなんて私たちからすれば狂気にも近いよ」

そう言って、このときだけはエリスはホルンを睨《にら》みつける。

それをほほえんでホルンは受け止めた。幾度もの説得で、考えの違いなどとっくに理解しているのだ。理解できること自体ホルンは貴族として外れている。

「私はそこまで貴族として完成された考えではないんですよ。二才のときから生贄《いけにえ》になることが決まってましたから、貴族としては最低限の教育だけ受けて自由に過ごすことができていました。誇り高い貴族として育てられていたら、国のために命を使えることを喜び進んで生贄になっていたと思います。おそらく誰かが生かそうとしても、怒って断っていたかもしれません。まあ国大事といっても国が揺るがない範囲だと、保守的でどこまでも自己の利益を追求するのも貴族の一面ですけどね」

「やっぱり理解しづらい世界だ」

地球の貴族も似たようなものだったのかと思いをはせてみたが、習った歴史は受験用でそういった細かな感情は教えてもらっていないので、理解しづらいという感想に変化はなかった。

「無理に理解する必要もないと思うがの。話を戻そうか。家族に連絡をつけてほしいんじやったな？」

「ええ」

「それはいいのじゃが、どのように伝えるかな。あまり屋敷には行きたくない。といって手紙だけを届けてもいたずらと判断される可能性もある」

「あ、それとコースケのことは秘密にしてください。竜殺しの称号は大きすぎますから」

自身が生きていたと知って起きる騒ぎの比ではないとわかっている。

「竜殺しが現れたと知ったら貴族どもが利用しようと騒ぐじゃろうしなぁ。コースケは貴族に対する対応を知らんから、いいように利用される可能性が高いじゃろうなぁ。コースケ、お前さんは弁が立つほうか？」

「お偉いさんと渡り合えるかといわれると無理としかいえない。今思いつく対応は……暴れるぞ？　と脅すくらい」

そうはいっても、実際に暴れることは不可能だろう。物を壊すというくらいならば平気だが、怪我人や死者が出るかもしれないと思うと暴れる気が萎んでしまう。

だが暴れるという対応はあながちはずれでもない。今の幸助でも街を破壊することは可能で、今後戦い方や魔法を学べば、エリスが言ったように都市破壊が可能になる。

脅した貴族の領地で暴れたら財政的に大ダメージを与えられるだろう。馬鹿な貴族じゃなければ、これくらいはわかるはずだ。行動に移すと幸助に懸賞金がかけられることになるが、別大陸の片田舎にでも引っ込めばそうそう追い回されることはない。

「有効じゃろうが、その場合は演技を悟られないようにせんとな。見破られると逆に脅される可能性もある。最悪国を敵に回すことになるとも覚えておくように」

「なるべく貴族に会わないようにすればいいよね」

「そうじゃの。あとは大店《おおだな》の者たちも貴族とつながりがあるから気をつけておけ」

「わかった。それにしても竜殺しの称号のすごさはわかったけど、竜殺しって存在自体もすごいんだ」

「うむ。歴史上お前さんを含めて三人だけじゃからな」

エリスは竜殺し二人の人生を簡単に聞かせていく。

一番最初の竜殺しは五千年前で、その次は二千二百年前だ。両者とも竜種としては下位のB⁻を倒して竜殺しとなっている。彼らは仲間と協力し、とどめを刺したことで竜殺しとなった。

上位の竜がたった一人の人間に殺されたのは初めてのことだ。このことを貴族が知ると、あちこちから幸助を取り込むための動きが見えるだろう。

「五千年前の記録がよく残ってたもんだ」

日本でいうと縄文時代だ。日本はもちろん、歴史の古そうなエジプトや中国にだってろくな記録は残っていなさそうだと幸助は驚く。

「そんな昔の記録は残ってないと思いますよ」

感心したという感じの幸助の言葉をホルンが否定する。幸助の表情が驚きのまま固定される。

「……記録が残ってないなら、竜殺しのことを話せないと思うけど？」

「記録に残ってなくとも神に聞けばいいじゃろう？　神は当時のことを覚えておるという話じゃ。実際、話を聞いてまとめられた本がある。私が話したものも、その本からの引用じゃよ」

予想していない言葉に幸助の動きが止まった。神が実在している部分に反応して。

「……神様って実在するの!?　冗談じゃなくて、ほんとに？」

「当たり前じゃろうに。そこまで驚くことでもあるまい。ん？　もしかしてそっちにはいなかったのか？」

「神話とか伝承は残ってるけど実在してるって証拠はない。話すなんてもってのほか。神様が実在するなんて本気で話してたら、まず正気を疑われる」

「神がいないなら世界はどうやって作られたというのかの？」

「度重なる偶然とか奇跡とか言われてた。神様がいなくても世界ができる前から、今に至るまでのことは説明できてたし」

「信じられんのう」

「私もです。神がいない世界など想像もできません」

「世界が違うから、この言葉で納得できそうな気もするけどね」

幸助本人がこの言葉で納得しておきたいのだ。

「それで納得しておいたほうが無難かもしれんの」

よそはよそ、うちはうち。こう考えたほうが両者のためだろう。

神の実在しない世界のことを考えても意味はない。こちらにはいるのだから。考えてなにになるかというと、戯曲や小説のネタになるくらいだろうか。

「神様がいるんなら帰る方法聞けるんじゃ？」

いいことを思いついたと幸助は笑みを浮かべる。

それに対してエリスは首を横に振る。

「どこに行けば会えるかわかっておらん。会えなくとも話すことはできるが、そのギフトは希少でな。今の世には所有者はおらんよ。声を聞くだけなら可能じゃが、それは一方的なもので会話とは呼べん」

「教会みたいな、神様を信仰する人たちの集まりってある？」

「あるが？」

「そこに行けば話せるんじゃない？」

神様も自分のことを信仰する者たちを気にかけるのでは、と思って聞く。

「人間が勝手に信仰しとるだけで、神々が気にかけることはないな。信仰する者よりも、気に入った生物を優先しとる。教会の人間に神託を授けず、どこかほかの人間に神託を授けるなんてよく聞く話じゃて」

毎日熱心に祈りを捧げる人間の飼っている猫に話しかけた、なんて話もあるほどだ。

「そっかぁ、いい考えだと思ったんだけど」

「神に聞くという方法は、私も思いついてはいたんじゃがの。神に会えたとして帰還方法を知っているかどうか。神に会うのはきっと苦労する。その苦労が報われん可能性があると思うと、黙っていたほうがいいと思ったのだ、すまんの」

「知らないって可能性もあったか。神様っていうと万能って感じだから、知ってるって思い込んでたよ」

これも幸助とエリスたちの認識の違いだろう。

地球で神様といったらなんでもできるすごい存在というイメージだ。しかしこちらでは、人よりもはるかに優れできることも多い存在だが、万能ではないと歴史上でいくつか実例がある。

「話がずれたな。どのようにしてホルンの無事と竜の死を伝えるかだったか。まあ私が屋敷に行くのが確実か。行きたくないがのう」

「手紙書いておきますね。あとは証拠として、与えられた貴金属を一緒に持っていけば信じてもらえるでしょう」

「竜の死因は病死か事故死とでもしとくかの。断定せず想像の余地を残しておけば、勝手に結論付けてくれるじゃろうて」

「竜殺しが現れたと考える人が出てきませんか？」

「出てくるじゃろうが、言い出した本人も可能性は低いと考えるのではないかの？　結論としては、気まぐれな大精霊が殺したか、寿命といったものになると思う。そうなれば狙い通りで万々歳じゃ」

竜を殺すというのは本当に難しいことなのだ。人間やほかの種族が為したというよりは、神などの上位存在が倒したといったほうが信じる者は多い。

優れた占い師が竜殺しの出現を言い当てるという可能性がある。だがエリスはそこから幸助のことがばれる心配はしていない。出現を知ることはできても、個人の特定まではできないだろう。人間ではそこまでの精度の占いはできない。わかってせいぜいどこの国にいるといったくらいだ。

ホルンに竜殺しを見ていないか問う者がいても、ホルンが竜のところまで行く前に去ったらしいと証言すれば疑いようがない。事実、籠に乗っているときに竜の悲鳴をホルンと騎士たちが聞いているのだ。そのときに倒されたと判断し、それから竜の死体を発見するまでの時間でいずこかへと去ったと考えるだろう。

「とりあえず明日、山に行って死体の位置を確かめてくるかの。ついでに腹いせに一発魔法叩き込んでやるとするか。屋敷に行ったとき、伯爵たちに死体の位置を教えれば勝手に確かめに向かうじゃろ」

明日からの方針を決めた三人はちょっとした雑談で時間を潰す。話題は幸助の世界のことで、ホルンたちはこちらとの違いに何度も驚かされる。そして幸助とホルンはエリスに促され、早めに就寝することになる。

一人残ったエリスはとっておきの酒を取り出し、ホルンの無事と竜の死を祝って一人で祝杯をあげた。

久しぶりにうまい酒が飲めたエリスは、いい気分のままベッドにもぐりこんだ。

二章

始まる異世界生活

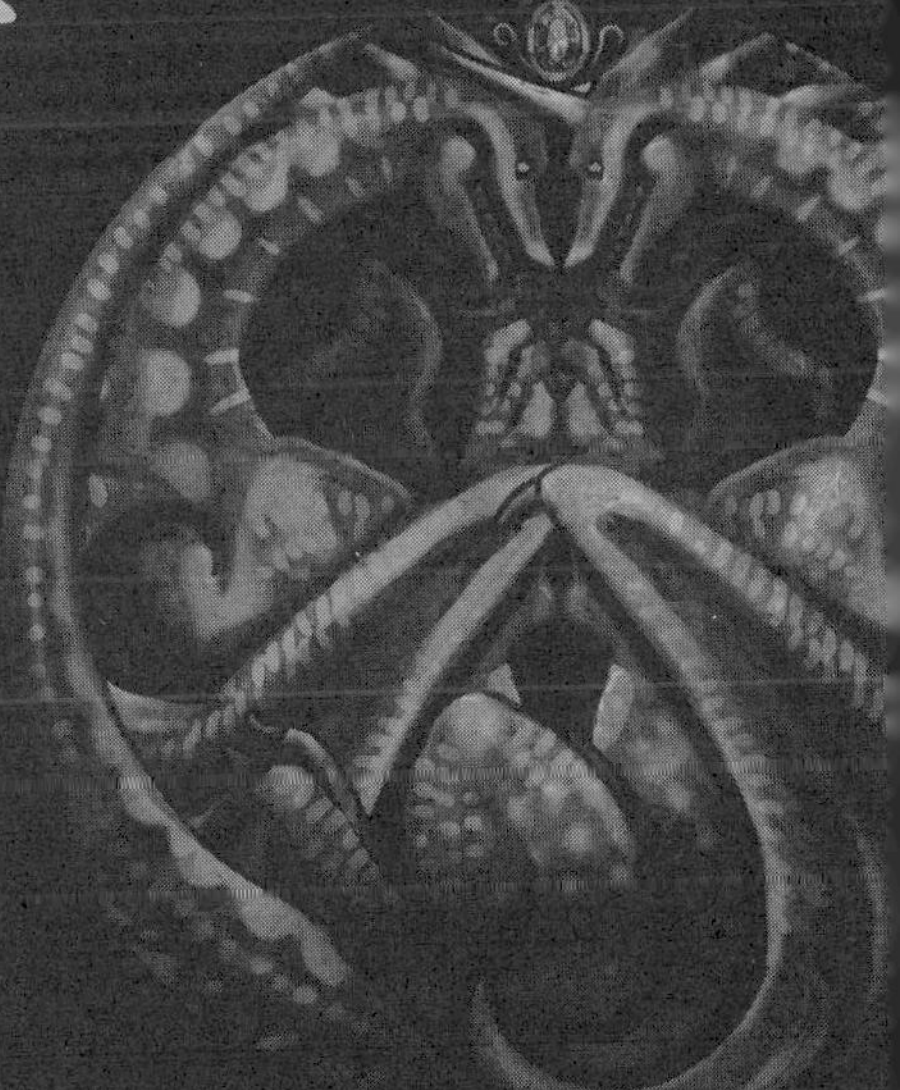

4　勉強、運動、また勉強、そして実践

「お勉強しましょう」

朝食を食べ終わり、エリスが空を飛び出発したのを見送ってすぐに、ホルンは隣にいる幸助に提案する。提案というよりは強制だろう。幸助は、ホルンがメガネをかけて教鞭《きょうべん》を手に持った女教師の格好をしてくれたらもっとやる気が出るのに、となんとなく思った。

「なににについて？」

「こっちの常識についてです。最低限のことを知らないとこれから困るでしょう？」

「あーうん。お願いします」

幸助はホルンから椅子に座って待つように言われ、ホルンは教材を持ってくるためエリスの書斎へと向かう。事前に書斎に入る許可はもらい、どこに必要なものがあるかも聞いていた。必要な物を取ってきたホルンは幸助の隣に座る。

「まずは大陸地図を見て、位置を把握しましょう」

幸助がうなずいたのを見て、ホルンは一枚の紙を二人で見やすい位置に置く。この地図は今二人がいるセブシック大陸のもの。昔の魔法使いが空を飛び描いたもので、精確な出

来だ。セブシック大陸は上部がやや飛び出たトランプのダイヤみたいな形だ。

ホルンの白く細い指が、大陸中央から見て南西を指差す。

「現在位置はここ。昨日も言ったようにリッカート近くの森のそば。ピリアル王国に属しているわ。リッカートはそれほど珍しい街ではありません。特徴は、人口の多さと大きさが国の中で六番目ってことくらいね」

「人はどれくらい住んでんの？」

「周辺の村も合わせて……七十万のはず。王都は周辺地域を合わせると二百万を楽に超えますね。三百万に届いたという話も聞いたことがあります」

ピリアル王国全体の人口は三千万ほどだ。世界には、人間のものとそうでないものと合わせて五十ヶ国あり、人口は十五億ほどになる。

「王都でそれだけなんだ」

「だけって、たしかに王都で二百万だと標準より少し下といった感じなのですが」

「俺の住んでたところの国の中心地は七百万超してたから」

東京二十三区の人口を思い浮かべこれで確かあってたよなと、思いつつ口にする。

「大きな国に住んでいたのですね」

「広さ的に見るとそうでもない。山ばっかりで人が住めるところにぎゅっと集まってた。そんな感じ」

その地形でどうやって作物の育て人を養っていたのかなどとホルンは質問した。

話がおしるこの作り方に及んだところで、両者とも話がそれていることに気づいた。

「この話はまた別の機会にしましょうか」

「そうだね、いい加減やめないとどこまでも脱線していく。それにしても米とかみそとかがあるって知れたのは嬉しかった。食べ慣れたものを食べられるのは嬉しい」

いつ口にできるかわからないが、本当に楽しみになった。

「私も話に聞いただけですよ。この大陸にはありませんし」

「あるってわかっただけでもいい収穫だったよ。いつか食べに行けたらいいな」

「私もチャーハンやお寿司というものを食べてみたいです。えっとそれでどこまで話しましたっけ？」

「現在位置」

そうでしたとポンと手を叩いて、ピリアル王国の主要都市を一つずつ指差していく。

歩きや馬車や飛車を使っての移動時間も加え大体の位置関係を話していく。

飛車とは名前の通り、空を飛ぶ乗り物だ。見た目は空飛ぶバス。人や魔人の魔力を買い取って燃料として動く。乗車料金が高いので、一般的に金持ち専用となっている。一般人はよほど急いでいるときにしか使わない。個人で飛車を所有しているのは王族と公爵家のみだ。ほかの国でもトップのみが個人所有する。

「続いて大陸の位置です」

　五枚ある地図を、大陸の位置にそうように並べていく。

「中央にカルホード大陸、その東にセブシック。カルホードの南西にベレレ諸島。諸島の東、カルホードの南にエゼンビア。カルホードの北にホネシング」

　一番大きな大陸は中央にあるカルホード。一番小さいのはホネシング。ベレレ諸島は除外している。特徴のある大陸はホネシング、エゼンビアだろう。ホネシングの北西部は年中氷河に覆われており、ほかの陸地も寒さが厳しい。エゼンビアの南西には大陸の四分の一の広さの砂漠がある。ほかに世界最大の森林や湖もある。

「私たちがいるのはセブシックです。人間種族が多く住んでいます」

「人間種族？　その言い方だともしかして異種族がいる？」

「ええ、いますよ。エルフやドワーフやゴブリンなど妖精族、獣人族《じゅうじんぞく》、魔族、冥族《めいぞく》、代表的なものはこれくらいです。あとはこまごまと」

「ゴブリンも妖精族？　魔物に属するって思ってた。あと魔族ってうちんとこじゃ邪悪って言われてたんだけど」

　ゲームや漫画だと大抵敵役なので、こちらでもそうではないかと思ったのだ。

「そちらの世界だとゴブリンは魔物なの？　こちらでは人間と同じように一種族として捉えられているわ。魔物としてのゴブリンもいることはいるけど、それは理性を失い暴れているゴブリンが魔物と称されるの。でもこういった状態だとゴブリンだけじゃなくて、ほかの種族も魔物としてみなされます。魔族については、悪人はいますが種族全体が邪悪かと聞かれれば答えはノーです。魔族は魔法が得意な種族ということを示しています」

ちょっとした自慢が鼻につくが世界征服を狙ったりはしていない。

「なるほど。あとは冥族ってのが想像つかない」

魔族は魔法種族というのを略しているだけなのかとうなずき、さらに質問する。

「冥族は死族とも言われてまして、一度死んで再び動き出した人たちのことをさします」

「アンデッドのことか」

幸助はゾンビやスケルトンが集まり暮らしている様子を想像するが、それは間違いだ。

「冥族の前でアンデッドと言ってはいけません。アンデッドとは魔物の区分の一つで、冥族に向かって言った場合は最大の侮蔑の言葉になります。気をつけてくださいね。問答無用で戦闘になりますから」

ピッと人差し指を立てて、真剣な表情で念を押す。それに幸助は何度もうなずく。

「肝に銘じときます。殴り合いの喧嘩なんてしたことないし」

「覚えておいて損はないです。私たちと同じように、礼をもって接すればきちんと礼をもって返してくれますから、特に意識せずともいいんですけどね」

「種族に関することでほかに気をつけることはある？」

魔族が常に身につけている宝石はその人の魂石《こんせき》なので触れては駄目、獣人とギフトで獣人化できる人は別物などなど種族に関して気をつけることをホルンは話していく。

魂石とは魔族が生まれたときから持っている宝石のことで、その人の一部で長所にも弱点にもなる。獣人は獣の顔を持つ人型生物で、ギフトで変化した場合は獣の耳や尾が生えるだけで顔に大きな変化はない。完全獣化できるのはギフトを使用してのみ。冥族は体臭を香水で誤魔化している人が多いのでわかりやすい。

といったことを説明し、種族の話を終えた。


「次はお金の話です」

エリスに借りている硬貨をテーブルに置いていく。

並べられたのは、同じ大きさの四枚の四角い硬貨。左から金銀銅だと幸助もわかった。しかし一番右はよくわからない。ホルンが一番右の硬貨を指差す。

「これが1ルト。もっとも価値の低い硬貨です。石貨《せきか》といいます。この1ルトが二十枚で、銅貨になります。そして銅貨二十枚で銀貨となります。さらに銀貨三十枚で金貨となり、金貨十枚で閃貨《せんか》となります。閃貨はエリスが持っていなかったので用意できていません。見た目は銀と緑を混ぜた色で、ほかの硬貨よりも少しだけ大きいですね。日常生活で使われるのは石貨と銅貨と銀貨で、大きな買い物をすると金貨が使われることがあります。閃貨は平民ならば見る機会はほとんどありませんし、お店を経営している以外は使う機会はないと言い切れます」

閃貨相当の財産を持っている平民はいるかもしれないが、そういった者たちは価値のあるアンティークや宝石を所持していたり、小金をためて閃貨まで届く金額を持っているだけで、閃貨そのものは持っていないはずだ。

「せきかの材料って石？」

石貨をつまみ持ってみて、その感触で石っぽいなという感想を持った。

幸助の問いにホルンがうなずく。

石の貨幣と書いて石貨。幸助の脳内で「せきか」から「石貨」へと漢字に変換された。

「石も材料の一つです。あとはミシト鉱石というものが混ざっています」

ほかにジレンという合成金属も微量に混ざっているのだが、ホルンもそこまでは詳しくはない。ジレンは偽硬貨を判別するために入っている。この金属は真贋《しんがん》判別用の魔法に反応するように作られていて、石貨以外の硬貨にも入れられているのだ。

ジレンのことは偽造対策のため硬貨鋳造の関係者のみしか知らされていない。だからホルンが知らなくとも無理はない。

偽硬貨が一番多く作られるのは銀貨と金貨だ。それは同じ量の金銀と比べて硬貨のほうが価値が高いからだ。なので偽硬貨を作ろうとする者が後を絶たない。

「一人一食あたりいくらで食べることができる？」

閃貨の価値がいまいち掴みづらかったので、見当をつけるため質問する。

「そうですね……贅沢《ぜいたく》しなければ10ルト前後でしょうか」

「四人家族で一日の食費銅貨六枚、一ヶ月で銀貨九枚。四人家族の一月の生活費はいくらくらい？　平均的な収入で」

「えっと……税も含んで銀貨二十枚くらい？　おそらくですが」

ホルン自身はあまり硬貨を使わず、一般的なお金の出入りには疎い。ホルンが支払わず、使用人が支払うので疎くなるのは無理もないのだろう。

「……一年三ヶ月分の生活費で閃貨一枚かぁ。それなら大金だね」

素早く計算し納得した幸助はうんうんとうなずく。

「計算できるんですね。しかも早い」

「褒められることかな？」

そう言いつつも、自身でも頭の回転の速さに驚いている。これが称号の効果なのだなと感心している。

「そちらでは今の計算は皆できて当たり前なのですか？」

「俺の住んでいたところではね。だいたい十才を越えたら、早さに差はあるだろうけどできるようになる。七才あたりから皆学校に通い始めて、十六あたりまでは勉強するように国が指導してる。そのあと勉強し続けるかは個人の自由。ほとんどの人が続けるけどね」

「勉学に力を入れている国なのですね」

「そう……だね。でも学んだことをすべて活かせるわけでもないんだけど。使い道がわからないものを教えられて、その後ずっとその知識を使わないのはざらにあることみたい」

幸助も今のところ数学や理科などは受験以外に役立っていない。

「……昨日も話を聞いて思いましたが、平和で余裕のある国なんですね。生きていくうえで使わないかもしれない知識まで教えてくれるなんて、民の可能性を育てようとしているように感じられます。こちらでは十二才くらいから立派な労働力とみなされますよ。育てるよりも、早く労働力に回し国の発展を促そうとしています」

いい国ですねと羨ましげな顔のホルンに、幸助は遠く離れた故郷がいいところなのだという実感を得た。

住んでいるときは当たり前だったのでわからなかったのだ。授業で海外では戦争をしているところもあると教えられても実感がなかった。しかしここにきて便利さはもとより、平穏に暮らせるだけでも羨む人がいるということを、おぼろげながらも理解できた。

こちらでは街から街へ行くだけで魔物や賊に襲われるのだから、それがない日本は羨まれて当たり前なのだろう。

「お金の話はここまでです。挨拶について話してひとまず終わりにしましょうか。そう難しいことでもないので簡単に覚えることができますよ」

ここでホルンは椅子から立ち上がる。実例つきで進めていくのだ。

「親しい人やすれ違うときには言葉のみで大丈夫です。丁寧に行う場合は、このように片腕をお腹のあたりに持ってきて頭を下げます。そして貴族など目上の相手や敬意を払う相手に行う場合は、右手を心臓にあて頭を下げます」

実演に、幸助はすごいものを見たと少しほうけている。

小さい頃からの教育の賜物か、ホルンの挨拶の動作はとても優雅で見とれるほどなのだ。

「動作になにか意味ある？」

「右手を心臓にあてることにはありますね。腕をお腹に持っていくほうは知りません。ほとんどの生物にとって心臓は生きていくうえで大事なものです。そこに手をあてることで、あなたは私の心臓のような方です、あなたなくして私は生きていけませんと示しているそうです」

「なんかプロポーズみたいにも思える」

「そうですね、プロポーズに使う人もいるみたいですよ。そろそろお昼ですが、もう一つ話してちょうどいいくらいですね。なにか聞きたいことあります？」

聞かれた幸助は少し考え、ふと宗教ってどうなっているのだろうという疑問を抱いた。

神の実在が不確かな地球でも宗教は盛んだったのだ、実在するこちらでは宗教の力はすごく高いものなのではないかと考えたのだ。

「こちらの宗教ってどうなってるのか聞きたい」

「どうとは？」

幸助の聞きたいことをうまく察することができなかったホルンは聞き返す。

「俺のいたところだと宗教って盛んだったんだよ。国政にも口を出せるほどに。それに自分たちの信仰している神以外を信仰する者を攻撃する人たちもいた。神が実在しないあっちですらそうだったんだ。実在するこっちだとさらに激しいんじゃないかって思って」

「えっと、宗教が強い力を持つのですか？」

幸助の言っていることを理解できないとホルンは首をかしげた。そんなホルンの様子でこちらでは違うのかと幸助も首をかしげた。

「神を信仰するって概念はあるよね？　ご飯を食べる前に世界神へのお祈りしてたし」

「信仰はありますね。ですがそれが他者の排斥や国への関与につながると言われても」

ホルンの態度が、地球とこちらとでは宗教のあり方が違うと示している。

地球と違い、こちらの教会は神の代理人としての力はない。神を勝手に崇《あが》めているだけなのだ。神は自分を崇めている者に興味はなく、助けることもない。教会に通ったからといって、神の恩恵を受けられたり許しを得ることはないのだ。

地球では宗教は権力者にとって利益のあるもので、利用できた。だがこちらでは利益などない。そんな場所に権力者が興味を示すわけはなく、教会と権力者の間には結びつきは生まれなかった。

神が実在するという事実は、幸助が思っているようなプラス効果を生み出さない。助けを得ることができないとわかっているからだ。人々は世界を存続させている神に感謝の思いを抱いても、高い敬意を示すことはない。神も信仰を必要とはしていない。

そんな状況で宗教が強い力を持ちようがないのだ。

教会は神に感謝を捧げる場という役割しか持っていない。ほかに結婚式や葬式が行われ、保育所としての役割を持っているくらいだ。ちょっとした相談にのることもあるが、それは神父やシスターたちが個人的にやっていることで教会の役割ではない。

結婚式では夫婦の誓いを世界神に認めてもらう場として、葬式では亡くなった者が世界神の御許へ帰るための場として利用されている。そういった場の使用料と神父やシスター個人に贈られる寄付金が主な財源だ。

神父やシスターは神の僕《しもべ》ではなく、教会で行われる各行事の司会役といえる。彼らが神に感謝の思いを持っているのは確かだ。

今日の勉強はここまでと言って、ホルンは昼食の用意をしに台所に向かう。幸助も手伝うために一緒に移動する。昼食は朝と同じものだ。スープを温めなおし、パンとチーズと果物をテーブルに並べて終わり。

ホルンは簡単な調理しかできない。それを知っているエリスが準備していったのだ。一人で調理させるにはまだまだ不安があるとわかっている。

エリスがホルンの料理の腕を知っているのは、エリスがホルンの料理の先生だからだ。エリスに会う前は少しも料理できなかった。ホルンにとって料理とは誰かに作ってもらうものだった。それを知ったエリスが少しくらいはできたほうが便利だと言って、簡単なものを少しずつ教えていた。味音痴や不器用ということはなく、順調に腕を上げていた。

「ごちそうさま」

幸助が手を合わせ、ホルンが食器を重ねていく。

使った食器を水につけ、幸助が洗い、ホルンがタオルで拭いて棚にしまった。

食事と後片付けが終わって一息ついているときに、ホルンはエリスから幸助に指示されていたことを伝える。

それは薪《まき》割りだ。

「薪割り？」

「知らない？」

幸助のいた世界には薪《まき》はないのかと思い、説明が必要か問いかける。

「いや暖炉とかにくべる木を切れってことだよね？」

「ええ、それであってます」

不満があるような仕草を見せたのは、働かざる者食うべからずってことなのかと受け取ったからだ。

その考えははずれている。エリスは身体能力の上昇具合を実感させようと考え、指示を出したのだった。

実際に動くと、どれだけ上昇しているのかわかりやすい。ついでに薪も増えてちょうどいい。エリスの考えはこんなところだ。

ホルンの案内で勝手口から出て、すぐそばにある小さな倉庫に入る。

大きめのなたとノコギリと皮付きの丸太が壁に立てかけられている。木材は長さ一メートル強、円周五十センチ以上のもの。幸助の腕の何倍もの太さがある。

けっこうな時間ほったらかされているのか、なたもノコも木材もうっすらとほこりが積もっている。

「これを大体三十センチ弱の長さの薪にしてくれとのことです。薪一つのサイズは最低でも八等分くらいにしてくれとも言ってました。急ぐ必要はないので自分のペースでやれと」

「了解。切ったものはこの小屋の中に積んどけばいいの？」

「ええ。では私は家の中に戻っていますね。あ、そろそろ通訳魔法の効果がきれますから、今のうちになにか聞いておきたいことはありますか?」

ホルンは倉庫から出ようとして振り返る。それに少し考えこんだ幸助は首を横に振る。

そうですかと言ってホルンは家に戻っていく。

「とりあえず丸太を切っていくことから始めないと。四等分くらいで三十センチ弱になるかな」

丸太をひょいっと持ち、小屋を出る。これだけでも筋力が上がったことが実感できた。丸太の重さがまったく苦にならなかったのだ。

「……これならまとめて持てるな」

四本ほどまとめると持ちにくさはあったが、まだ余力があった。

周囲を見渡しても作業台がないので、転がした三本の丸太の上に丸太一本を載せ、ノコギリで切りやすくする。

十五分ほどギーコギーコと切る音が響く。

「ふう」

かいてもいない汗をぬぐい、ノコギリと大なたを持ちかえる。

「はじめに軽く食い込ませて地面に叩きつけるといいんだっけ」

昔テレビで見た画像が鮮明に脳裏に浮かぶ。このように以前見聞きしたことがスムーズかつ詳細に思い出せるようになっている。これも竜殺しの称号のおかげなのだろう。なたを木材の縁に食い込ませ、力を入れ振り下ろした。

木材は見事に真っ二つ。それでも勢いが止まらないなたは地面に深く食い込んで止まる。土と刃の摩擦で止まったのではなく、自力で止めたのだ。止めなかった場合、振りぬけていたはずだ。

「……土の抵抗まったく感じなかった」

自分の起こしたことにひきが入っている。背にひやりとした汗が流れた。

「これがステータスが上がったってことか。気をつけないと変な失敗しそうだ」

エリスの思惑は見事達せられ、幸助は自身の能力上昇を実感する。

力を抜いてとつぶやきながら幸助は木材を切っていき、五回切ったところで動きが止まる。

この調子なら食い込ますことなく、振り下ろしただけで切れそうだと気づいたのだ。

「よっと」

目標がややずれて斜めに切れてしまう。

「だったらこうか？」

振り下ろしのイメージを修正し、振り下ろす。今度は切れた二つの大きさが違う。

「んー？　こんな感じかな？」

　再度修正し、振り下ろす。満足できる切り方ができた。よしっと思わずガッツポーズを取った。一度成功するとあとは狂いなく綺麗に切り続けることができた。

　最初に持ってきたものを全て指示通りに切り終えたところで、幸助はちょっと遊び心が湧いた。

　空中に薪《まき》を放り投げ、真っ二つに切れるかなと思い、今ならできるかもと思ったのだ。

「よっと」

　薪を放り投げ、落ちてくるタイミングに合わせなたを振るう。

　結果は失敗。力加減を間違え半ばまで食い込んで止まる。しかも縦に切れず横から食い込んでいるのだ。

　薪からなたをはずし、もう一度投げる。今度は二つに切ることはできた。だが切り込む位置はずれたままだ。

「やっぱり中々難しいな。時代劇とか漫画みたいにはいかないか」

　それでも諦めずそのまま何度も試していき、一時間後には１００パーセント成功させることができるようになっていた。こうなるともっと難易度の高いことができないかと考えるようになる。

　薪を割り始めて四時間後、もう終わった頃だろうと様子を見に出てきたホルンが見たものは、放り投げた薪《まき》を空中で四等分にする幸助の楽しそうな姿だった。

「コースケ？」

「ん？　ホルンなにか用事？」

「ghmrejppk,p,m」

通訳魔法の効果時間が切れたことで、幸助にはホルンがなにを言っているのかわからない。それでも驚いていることは表情からわかる。

言葉が通じていないことを仕草で伝えると、それでホルンは落ち着きを取り戻し、家に入るように伝える。ホルンの目から見て、十分すぎるほどに薪が作られていたので終わってもいいだろうと判断したのだ。

薪を集めて片付けた二人は家に戻り、エリスが帰ってくるまでのんびりと過ごす。

家の中はある程度片付いていた。幸助が薪を割っている間に、ホルンも掃除をしていたのだ。だが綺麗にとはいかない。料理と同じように掃除も誰かにやってもらうものだったからだ。ホルンがしたことは、散らかっているものを元あった場所に戻し、床を掃いた程度だ。置き場所がわからないものは、邪魔にならぬよう部屋の端にまとめて置いてある。

エリスが帰ってきたのは午後五時過ぎ。行きだけで九時間近くかかっている。帰りは転移魔法を使ったのだが、行きでほとんどの魔力を使っていたので魔力回復薬を使って不足分を補っていた。通訳魔法が効果をなくしているのに気づき、かけ直したことで魔力はほぼ打ち止めとなった。

テーブルにぐたりと倒れこむ。

「疲れたわ、魔力をここまで使ったのは久しぶりじゃ」

「お疲れ様。竜の死体は見てきました？」

「うむ。きっちり死んでおったな。あれだけ暴れまわっておったあれの醜態を見て、たまっていた鬱憤が綺麗さっぱりなくなったわ！」

上機嫌に笑い言い切った。よほどあの竜が気に入らなかったらしい。

「明日にでもコルベス家に行ってくるとしよう。手紙は今日のうちに書いておけ」

「わかりました」

「コースケ、薪《まき》割りはどれくらい進んだ？」

「立てかけられてた丸太全部薪にしたよ」

「そうかそうか。それで身体能力が上がっていることは確認できたかの？」

「最初は驚いたけど、ある程度確認できた。向こうにいた頃とは比べものにならないくらい上がってる」

「じゃろうな」

「私が様子を見に行ったときは、空中に投げた薪を浮いてる間に四等分にするって離れ技やってました。あんな切り方初めて見ましたよ」

「ほほーう」

「いや、できるかなぁって思って練習してたらできるようになったんだ。俺も驚いてる。竜殺しの称号の後押しってすごいね」

綺麗に同じ大きさにするとこだわらなければ六等分もできるようになっている。あれだけの芸当ができると楽しくて仕方がなかった。

「確かにな。例え同じステータスでも行動の補正がなければ、どれくらい時間がかかるか。しかしそれならば魔法についても上達は早そうじゃの」

「魔法を教えてもらえるの!?　やった！」

幸助のテンションがこの世界に来て一番高くなる。喜びすぎじゃないかというくらい喜んでいる。

魔法という不可思議は使えない者にとって憧れだろう。おとぎ話に出てくる魔法使いの起こす奇跡に、わくわくした者は多いはずだ。幸助も魔法という存在に心躍るものを感じていた一人だ。

「いつまでも私が通訳魔法をかけていては不便じゃろう？　自分で使えるようにしてやらんとな。夕食後に魔法の基礎知識から教えてやろう。通訳魔法自体はそう難易度の高いものではない、習得に苦労することもないじゃろ」

「よろしくお願いします！」

勢いよく頭を下げた幸助にエリスはうなずき返した。内心そこまで喜ぶことかと首をかしげつつ。

そのあと、エリスは少し眠るといってロッキングチェアに座り、目を閉じた。魔法を使い続け、本当に疲れているのだろう。すぐに小さな寝息を立て始める。

「ホルンは魔法についてどれらい知ってるの？」

「私ですか？　自分の専門以外はそう詳しくは……」

ホルンが使えるのは治療系と少しの補助のみだ。補助は患者が痛みで暴れたときに体を押さえたり、患者の体を支えたりできるように自身の筋力を強化するためと治療するときに使いそうなものを中心に覚えている。攻撃系はからきしだ。護衛が常にそばにいたので、覚える必要がなかった。

「ここに来るまでに使ってた光の粒も魔法だよね？」

「ええ。灯りの魔法ですよ」

「初めて見たときすっごい驚いたよあれ。まだここが地球だって思ってたから、魔法使える人がひっそり隠れて過ごしているのかって」

「あれは誰でも使えるから、そう驚くようなものでもないんですけどね」

「魔法がないところに住んでる人から見ると、いきなり光が現れると驚くよ」

「そう？」

地球に住む者にとって魔法はなくて当たり前、同じようにこちらの住人にとっては魔法はあって当たり前。

幸助が地球での暮らしに特別なものを感じていないように、ホルンも魔法に特別なものを感じていない。だからか幸助の驚きを完全には理解できない。

一時間後にエリスが目を覚まし、夕食の準備を始める。それを幸助とホルンも手伝う。手伝えるのは材料を切ったり洗ったりと下準備のみだ。調理の段階になると二人ともテーブルに追いやられた。手軽に済ませるつもりなので、これ以上の手伝いはいらなかったのだ。

夕食と後片付けが終わり、お茶を用意して魔法の講義が始まる。

「魔法とは世界に望みを告げてかなえてもらう技術のこと。魔法でできることは多い。魔法で起こせる現象は奇跡にしてゆがみだ。世界から見ると魔法は不自然なのじゃよ。だから魔法を使う際にはある程度の手順を踏む。魔法が自然な現象と認められるのならば、誰もが思い描くだけでなんの代償もなく使えておるはずじゃ。手順とは世界に問いかけることであったり、動作であったり、陣を描くことであったり、それらを含めた長時間の儀式であったりじゃな」

そういったところは地球で想像上で語られる魔法と同じなのだなと、幸助は共通点を見つけ地球人の想像も馬鹿にできないなと考える。もしくは大昔は本当に使えていたのかもしれないと空想が脳裏をよぎる。

「そういった手順を踏み、供物を捧げ、世界に伺いを立てる。これこれこういった現象を起こしたいのですが、よろしいですかとな。そして手順が正しく、供物が十分だと判断されると、世界は起こしたい現象を認め、魔法が発動する。魔法を使う際の流れはこんなところじゃ。供物とは魔力のこと。たまになにかしらの鉱物や薬草などを必要とすることもあるがの。ここまででなにか質問はあるかの？」

　幸助は聞いたことを反復していく。

「魔法の効果を起こしているのは自分じゃなくて世界？」

「そのとおり。我らは起こしたい現象を世界に願うだけじゃ。一方で、ギフトは使い手自身が魔法のような効果を起こしておる。両者で消費するものも違う。魔法は魔力、ギフトは体力」

「じゃあ常に効果を発揮してる竜殺しは、常に体力を消費してる？」

「いや、しておらん。常時発動しているものは基本的に消費はないと思っていい。例としては、私の魔法融合やホルンの治癒は体力を消費する。暗視や怪力などは常に効果を発揮しておるから体力の消費はない。怪力は常に筋力の一段階アップという効果じゃが、ギフトが成長すると増強ということができるようになる。これは体力を消費して、さらにもう一段階筋力のアップとなっておる。これが例外の一つじゃな」

「なるほどなぁ」

「ほかに質問は？」

「魔法を使う際に必要なのは魔力と手順を間違わないことで、ギフト以外の個人の才能は関係してこない？　つまりギフトとか抜きにして、誰が使っても効果の大きさに差異はでてこない？　魔力の多い人と少ない人が同じ魔法を使ったとき、効果は同じ大きさ？」

その疑問にエリスはうなずいた。

「その認識でよい。魔力の多さは効果の強弱ではなく、使える魔法の種類と回数に関連する。魔力の少ない者が、必要魔力を準備できない魔法を学び覚えたとしても、基本的にはどう頑張ろうと使えぬ。それでも使うことを諦めずに試行錯誤し、結果を残した者がいる。その結果の二つが、魔力をためておき魔法使用の際に魔力を開放する魔法補助道具と、複数人で一つの魔法を使う集団儀式じゃな。魔法補助道具は遺物で手に入れにくく、集団儀式はとある魔族一族の秘術じゃ。この二つの入手は一苦労じゃぞ」

遺物は遺跡に入って手に入れるか、売りに出されている物を買い取ることで入手できるが高価だ。秘術は基本的に他人に漏らすようなものではない。使い方を知ると命を狙われる可能性もでてくる。

「世界に捧げた魔力ってどうなってるんだろう？」

これは知的好奇心からでた質問だ。知らなくても魔法使用にはなにも問題ない。

「ゆがみを正すことに使われておるようじゃ。それを私は実感したことはないが、神々がそのように言ったらしい」

その作用とゆがみの発生は釣り合わず、発生ペースを抑える程度だ。

ほかにはと聞かれ、ないと首を横に振る。

「それでは次じゃ。魔法には二種類ある。形式魔法と無形式魔法。一般的に使われておるのは形式魔法じゃな。魔法大鑑に載っておるのもこちらじゃ。魔法はゆがみといったな？そのゆがみを少しでも正常なものと世界をだまし認めさせ、魔法発動を容易にしたのが形式魔法。こちらは世界への問いかけ、動作、陣を描くといった手順で手軽に使える。手軽な分、大きな効果は期待できん。ちなみに種族によって精霊術、獣式術、魔法、冥技法と名前は変わるが違いはない。作法が少し違うだけじゃ」

ここで一度切って水を飲み、続ける。

「無形式魔法は効果の大きな魔法に使われる。手順は儀式のみ。無形式魔法で起きる効果は大きなゆがみと捉えられ、形式魔法のように世界をだますことはできん。じゃから時間をかけて伺いを立てる必要がある。あとは新たに魔法を生み出した場合、それが簡単に発動できるものでも最初は無形式魔法に分類される。学会に発表し、形式魔法と認められた場合、形式魔法として魔法大鑑に載る。基礎知識としてはこんなところじゃろうて」

魔法大鑑に載せることで、認められたものとして手順を踏むのだ。魔法大鑑自体が魔法の道具で、そういった効果を持っている。

「手順を踏まずに、問いかけや動作や陣なしに魔法を使うことって可能？」

以前読んだ漫画や小説にそのような技術が出てきたのを思い出した。

「無理。それも古来より研究されてきたが誰一人として成果を上げたものはいない」

「いいところまできて失敗続きなのか、まったく成果なしなのか、どっち？」

「後者」

即答だ。

成果がでないのは当然だ。既にエリスが言ったように、魔法で起きる現象は世界が起こしている。生物は世界に頼み込んでいるだけ。

手順なしでの魔法発動は、世界が起こしていることを生物が自力で起こすこと。発動が成功するということは、世界と生物が同等というおかしな等式が成り立つことになる。こんなもの魔法という存在以上のゆがみだ。

使いたい魔法が例え魔法を使わずとも行える簡単なことでも、手順なしでは効果を表すことは絶対ない。

例えば弱風を起こす魔法がある。これは団扇《うちわ》を使えば誰にでも簡単に再現できる。それほど簡単なことでも魔法での効果を求めようとすると手順を踏まなければならない。

簡単なことだからこれくらいならば手順なしでも大丈夫だろうと、昔の研究者が研究した実例がある。一ヶ月で終わると思われた研究は、四十年という長い年月をかけても終わることはなかった。そして研究者が亡くなり、結果がでないまま研究は終わりとなった。

以降、手順をなくせる研究をしろと研究者に命じる者はいなくなった。これを研究課題に選ぶ者もほぼいない。ときおり無駄に自信たっぷりな研究者が挑戦しては玉砕する程度だ。

「昔の研究者がここまで時間をかけても無理だったのだ。手順なしでの魔法使用などできると思うかの？」

「無理だね」

幸助は納得しうなずいている。エリスもそうだろうとうなずいた。

「では魔法を使う際に注意することを話して、講義は終わるとするかな。魔法を使うには手順を踏んで魔力を捧げる。魔力を捧げる際に必要分を出す。これが大事なことじゃ。当たり前のことではあるが、できていない者も多い」

「手順を踏めば自然と使えるんじゃないんだ？」

「捧げる、という表現からわかるように術者から動かねばならん。自動的に減るということは世界が術者から抜き取っていくということ。世界としては魔法が発動しないのならば別にそれでもかまわんという姿勢じゃからな。わざわざ抜き取るという手間をかけてまで、魔法発動を認めるつもりはないのだろう」

ゆがみというわば毒のようなものが発生しているのだ。積極的に起こしたい現象ではない。魔法の使用を神々が禁止しないのは、人々の生活に深く根付いていて止めようがないからだろう。

「なるほど」

「話を戻すが、必要分の魔力を捧げることがなぜ大事かというとじゃな。当たり前だが魔力が足りていないと魔法は使えん。捧げた分も無駄になる。その一方で必要分よりも多く魔力を捧げた場合は、魔法は使える。だが効果に変化はない。こちらも余分な魔力は無駄となる。魔力は必要分をぴったり捧げること。これを覚えておくように」

「了解」

「まあお前さんの学習能力ならば、練習さえすれば問題はないと思う。講義はここで終わり。実践に移るぞ」

「待ってました！」

いよいよ魔法が使えるようになるのだと、幸助のテンションは上がる。

「そこまで楽しげにすることでもないと思うがのう」

「魔法に対して憧れがあるみたいよ」

読んでいた本から目を離しホルンが言った。

「憧れのう……わからん」

エリスにとっても魔法はあって当たり前のものだ。ないと思われたものが目の前に現れ、触れることすらできることへの幸助の興奮は理解できないだろう。

「まあいいさ。とにかく練習を始めよう」

「よろしくお願いしますっ。空飛ぶ魔法が使いたいです！」

きらきらと目を輝かせてエリスを見る。一度は自由に空を飛びたいと考える人間は少なくないだろう。幸助もそんな一人で、夢がかなうことがすごく楽しみなのだ。

「いきなりそれは無理じゃ。基本を教えた後にな。まずは簡単なもので、肩慣らしといこうか。『光よ、来たれっ！』」

エリスは言葉と共に腕を振る。するとエリスの前方にいくつもの光の粒が現れた。野宿でホルンが使ってみせた魔法だ。

「このように言葉と共に魔力を捧げるだけでいい。やってごらん」

早速やってみようとして幸助は動きを止めた。

「……どうやって魔力を捧げんの？」

「どうやってって」

ここでエリスは言葉に詰まる。いざ説明しようとすると難しい。

この世界の住人にとって魔力を捧げるということは、呼吸するということと同じ。できて当たり前なのだ。それをどうやってと問われると戸惑う。

「んー……言葉にしづらい。なんというか、自分の中にあるものを体外へと押し出すような感じかのう？」

　エリスは困ったようにホルンを見る。

「私を見られても困ります。専門家ではありませんし。便利だから使っていて、どのような働きで効果を発揮するのかなど気にしたことはありません」

「普通は誰もが気にせんわな。まさかここでつまずくとは。挫折するにしても早すぎる」

　魔力があること自体は金属版で調べてわかっているのだ。だから当たり前のように魔法を使えるのだろうと考えていた。

　初歩ですらないところでつまずくとはエリスもホルンも予想していなかった。

「とにかく言葉通りに言ってみたらどうじゃ？」

「『光よ来たれ』？」

　エリスのまねをして腕を振る、がなにも反応はない。

　エリスとホルンは本当に困ったという顔になる。幸助は自分には魔法が使えないのかと気持ちが萎んでいく。

「自分でいろいろ試してみるしかないかなぁ」

「頑張ってみてくれ。こっちでもいいアドバイス考えてみる」

光よ、来たれっ！

幸助はうなずいて小さく言葉を繰り返す。言葉に力を込めてみたり、意識を手に集中してみたりといろいろ試行錯誤してみるが、なんの反応もない。何が悪いのかと首をひねるばかりだ。

その日は繰り返しだけで時間が過ぎていき、就寝時間となった。


次の日も、暇を見つけては使ってみようと言葉を繰り返したが変化はなかった。

さらに次の日も同じだった。エリスとホルンも、幸助を褒めたり、おだてたり、けなしたり、罵ったり、脅してみたりと協力を惜しまなかった。

エリスのけなし方が堂に入っていたり、罵るときのホルンが少しだけうっとりしているように見えたが、幸助は演技なのだと思い込む。

その夜、成功したと喜んでいたら、目が覚めて夢だったとわかり落ち込んだ。ベタすぎるだろうと落ち込みは二重だった。

「どうしたものかのう」

「本当に」

ぐたりとテーブルにつっぷす幸助を見ながら二人は話している。漫画的表現ならば頭から湯気が出ていそうだ。

「魔力は人間の一流どころと同じくらいある。これはたしかなのだがどうして使えんのか。書物にもこういった出来事は載ってなかったしのう。竜殺しの称号は行動に補正があると予想したが、外れじゃったか？　しかし薪割《まき》りには発揮されていたようじゃし」

少し考える様子を見せたエリスはあれじゃなと前置きして、

「いっそのこと魔法を使うことを諦めさせるのもいいかもしれんの。使えずとも問題ないくらいに強いのじゃから」

「あれだけ楽しみにしているんだから、使わせてあげたいんだけど。魔力はある、言葉も間違えていない。魔法を使うには魔力を捧げる。使えないということは、世界が魔力を受け取っていない……」

ホルンは魔法を使う際に行うことを再確認するように述べていく。そして一つの可能性を見出した。

「……もしかして」

「なにかわかったのかな？」

ホルンは確信が持てないまま、思いついたことを口にする。

「世界にお願いしていないのではと」

「だが最初に説明したはずじゃぞ。魔法とは世界に望みを告げてかなえる技術だと」

「幸助にとってここはまだ異邦の地で、世界とはもといた世界のことなのでは？　だから願う場合もこちらではなく、あちらの世界を思って願っていたのかも」

「ふむ……納得できる説じゃな。どれ、そこを十分に言い聞かせて使わせてみるかの」

エリスは、起きろと言いながらスパンと幸助の頭頂部を叩く。遅々として進まない魔法練習に少しイラついているのだろう。幸助はのろのろと顔を上げる。

「ホルンが有力な説を思いついてくれた。これが正しければお前さんは魔法を使えるようになる。よく聞いておけ」

「わかったよ」

「お前さんは今ここにいる。それはわかるな？」

トンッとテーブルを人差し指で叩く。それに幸助はうなずく。

「ならばお前さんの世界はここだ。以前いた場所ではなく、今生きているこちらなのだ。だから願いはこちらの世界に願うのが筋だろう？　いいか？　お前さんはこちらで生活を送っている。こちらの世界に感謝し、祈りを捧げよ。そこを踏まえて魔法を使うがいい」

これを聞き幸助は、自分の居場所はあちらなのだと思っていることに気づかされる。こちらに来て一週間ほどたって、少しは生活に慣れてきたが心はいまだ地球に向いているのだろう。

幸助は頭の中でこちらの世界に話しかけることを強く意識し、言葉を紡ぐ。

同時に己の中で何かが蠢《うごめ》いたことを感じ取り、それを動かせるだけ体外に押し出した。

「光よ、来たれっ！」

幸助の前方に、ホルンやエリスが魔法を使ったときと同じ現象が起きている。

「できた！　できたぞーー！」

「おめでとうございます！」

幸助とホルンが手を取り合い喜んでいる。

エリスはようやくかとつぶやいて、椅子に座った。

「はいはい、いつまでも喜んどらんで座れ」

「これが喜ばずにいられるかあーっ！　やっとやっと使えるようにっ」

「うるさい」

幸助の思いをばっさりと切り捨てて、椅子に座らせる。

「まずはおめでとうと言っておこうかの」

輝く笑顔を見せかけた幸助に手のひらを向けて押さえるように続ける。

「だがっ！　魔力出しすぎじゃったわけ」

「どれくらい使えばいいかわかんないから、とりあえず動かせるだけ動かしたんだけど」

「それにしても全魔力の90パーセントは出しすぎじゃろう」

「大体どれくらい使えばよかった？」

「そうさの……お前さんの魔力の大きさから考えるに、全体の1パーセントも必要なかろ。これで使うことが可能じゃろうて」

「そんだけでいいの？」

いくらなんでも1パーセント以下は少なすぎるのではと驚いている。

「簡単な魔法と言ったろう。子供でも使えるくらいじゃ。簡単ということは魔力も少量でいい。今日はずっと灯りの魔法で練習しておれ。ほかの魔法も教えようとは思ったが、今の魔力量では難しいのう」

「そういや魔力って一晩寝たら全快する？」

「一晩寝て自然回復するのは半分ほどじゃな」

なるほどと納得し幸助は魔法を使い始める。

少なくと意識して、ほんの少しだけ魔力を動かす。今回は少なすぎたのか、光の粒が出ることはなかった。

もう少し多めにと再度挑戦し、成功する。

「もう少し減らせそうだなぁ」

このあと五回成功させ必要量を把握する。

言葉を変えるとどうなのかなど応用を試したりして、時間は流れていった。

5　称号竜殺しの効果の一端

幸助が魔法を使えるようになり二日たち、幸助は新しい魔法を教えてもらっている。記憶力も以前と比べはるかに発達しているおかげで次々と覚えることができている。教えてもらったのはほとんど簡単なものだ。

この二日で、エリスはコルベス家へと手紙は届けていた。あさってかしあさってには、コルベス家当主と調査隊が山へと竜の死骸を確認するために出発するだろう。

目的であった通訳魔法はすでにマスターし、ほかにも教わっている。マスターした魔法は家事と治療中心だ。家事はエリスから、治療はホルンから。

目玉焼きを作る魔法などいらないのでは、と思いつつものちのち必要になるのだろうと考え習得していく。目玉焼きを作る魔法は皿と卵さえあれば火を使わずにすむので、めんどくさがりな人や冒険者の間ではわりと重宝されていたりする。

ホルンが治療魔法を教えるのは、それが一番得意だからだ。しかしエリスが家事魔法中心に教えているのは、家事分担でき楽になるという思いからだ。のちのちの複雑な手順の魔法に応用などできない。

目玉焼きを作る魔法を教えたのは料理できなさそうという思い込みからだ。実際は料理本の手順に従って作っていれば、失敗しない程度の腕を幸助は持っている。複雑な手順じゃなければという条件がつくが。称号の補正もあるので、練習すれば料理の腕はあっという間に上達するだろう。

「今回の魔法は洗濯じゃ」

「うぃっす」

今、幸助とエリスは庭に出ている。二人のそばには洗濯物の入った籠と水の入ったタライが置かれている。洗剤はない。開発されていないのか、必要としないのかはわからない。

ホルンは室内で窓際の椅子に座り、外から聞こえてくる声を聞きつつ本を読んでいる。

「まず下準備としてタライに水を入れておく。それに洗濯物を入れる」

「ん？」

幸助が服や靴下や下着などを入れていく。

「どうした？」

「なんであんたらのパンツとかも入ってんの!?　分けといてよ！」

明らかに女物の下着とわかるものを見て、幸助の顔は照れからほのかに赤くなっている。

「気にするな。この年になるとそういった羞恥心は少なくなる」

「この年ってエリスさんどう見ても二十代」

「私は今年で七十じゃぞ？」

目の前に立つエリスをまじまじと見る。肌の張りと艶、体の肉つき、髪の艶などどこからどう見ても二十代だった。

そんなふうにじっくりと見られても動じないことから、羞恥心が少ないというのは本当なのだろう。

「私は長寿の種族じゃからな」

「さすが異世界。それでエリスさんについては納得するとして。ホルンはなんで？」

「私ですか？　コースケが洗濯するなんて知りませんでしたし。私自身は洗濯できませんから、洗ってもらえるのに文句など言うことはできません。ですがじろじろ見られるのはちょっと」

そう言うホルンの頬には少し朱がはしり、視線をずらす。

幸助は気をつけますと答え、気を取り直しエリスへと向き直る。

「納得したかの？　では続きだ。『ざぶざぶ洗え』と言って、指を洗濯物に向けて右回りに一回くるりと回せ。魔力量は灯りの魔法の十三倍程度じゃな」

「ざぶざぶ洗え」

指示通りに魔法を使うと、タライから洗濯物が水ごと浮かび、五十センチほどの高さで止まりくるくる回り出す。

縦回転、右回転、左回転と回り、洗濯物はもみくちゃにされている。

それを見て幸助は魔法版洗濯機みたいだと考えている。

「しつこそうな汚れがあるときは、汚れ落としの魔法も併用するといい」

「それはどうやって使うの？」

「洗濯物を指差して一回縦に振り『汚れなし』と言えばいい。魔力量は灯りの魔法の八倍程度じゃな」

幸助はこの魔法も使ってみる。薄い煙が発生し、水の回転に巻き込まれていく。

「あとは回転が収まるのを待つだけじゃな。時間にして、そうさな……三十分ほどか。その間に回転は緩んでいき、水もタライへと徐々に落ちていく」

「三十分暇になるんだ、なにしようか。というか回ってる間、目を離してても大丈夫？」

「問題なしじゃ」

「なんというか手間がかかるね。もっとこう一瞬でぱっと綺麗になるのかと思った」

「そういう魔法もあるが、あれはたくさん洗うのに向いてない」

「あるのはあるんだ」

洗濯が終わるまで、家の中にでも入っておこうかと幸助は考え体の向きを変えたとき、壁の角近くの地面に人影が映っていることに気づいた。

影の主はすぐに姿を現す。濃紺の短髪と黒の目を持つ、人のよさそうな大柄の男だ。身長はおよそ百八十センチを超えている。年は幸助よりも上で、ホルンに近いように見える。背には無骨な造りのバトルアックスを背負い、丈夫そうな黒革のズボンをはき、上半身のみ鉄製の鎧に身を包んでいる。

男は幸助を見て驚く。

「ね、姉さんが男を連れ込んでる!?　しかも十五にもなっていないような子供っ!?　ショタっ気はないと思ってたのに！」

「なにぬかしとる！　焔《ほのお》の飛礫《ひれき》よ！」

エリスが差し出した手から、1センチにも満たない火が十個ほど男へ向かって飛んだ。

幸助がこの世界に来てはじめて見た攻撃魔法は、おしおきとして使われた。

「あちゃっ熱い！」

男はその場に倒れじたばたとしながら、熱さに悶《もだ》えている。

「エリスさん、この人知り合い？」

「ボルドスという名の愚弟じゃ。何しに来たのやら」

ふんっと腕を組み、倒れている男を冷たく見下す。

「お、俺は姉さんの様子を見に来たんだよ」

火傷《やけど》の痛みに顔をしかめながら起き上がる。熱さが冷たい視線で中和されたかというとそんなことはなかった。

「そろそろ落ち着いた頃かなって思ってさ」

「落ち着く？　どうして？」

「いやホルンが」

「私が？」

ボルドスの火傷を治療するために庭に出てきたホルンが、自分の名に反応する。

「あ、久しぶり。ホルンが生贄《いけにえ》になって、落ち込んだり荒れたりしてるんじゃないかと」

矛盾したことを言っているとボルドスは気づいていない。

「生きてるから落ち込む必要はないな」

「なに言って……まさか寂しさのあまり幻覚を？」

本気で心配しているのだろう。目には嘲る色などまったくない。むしろいたわりに満ちた目だ。けれどもホルンは馬鹿にされたように感じる。口の端がひくつくのを感じながらボルドスに問う。

「いや死んでないじゃろ？　死んでたら隣に立つ者は誰なのかと」

「隣？」

ボルドスが誰もいないほうを見て、そっちではないとエリスは指でホルンを示す。

「ホルン……ホルンだな？　ホルンホルン……」

なにかを考えるようにホルンの名前を繰り返す。

やがてなんらかの結論に至ったのか、顔から血の気が引き、ホルンから一歩離れる。

「ばばばばばば化けてでた!?」

「いい加減死んでいないということを認めいっ！」

慌てるボルドスの頭をエリスはグーで思いっきり殴る。

エリスの筋力ランクはD⁻、そんじょそこらのゴロツキよりも上だ。対してボルドスの頑丈ランクはC⁻、後々にひびく怪我はしなかった。むしろ殴ったエリスのほうが手を痛めた。

ホルンが火傷《やけど》を治療したことで、ようやく生きていることを認めたボルドスは笑って誤魔化している。

「いやーごめんなさい。あっはっはっは、まさか生きてるとは！　はははははっめでたいな！」

いまだ少なからず動揺しているのか、視線が定まっていない。

「うるさい。笑ってないで落ち着いて話せ」

「うっ、勝手に死んだことにしてごめん」

「気にしてませんよ。私も生きていられるとは思っていませんでしたし」

「そうだよ、どうして生きてるんだ？　いや生きていることを責めているわけじゃない。もしかして逃げてきた？　それにしては竜が暴れてないし」

ボルドスも竜が死んだとは思いつかない。これが常人の反応だ。

「信じられんかもしれんがこやつが殺したのじゃよ。話を聞くかぎりは偶然じゃがな」

ぽんぽんとエリスに頭を叩かれたあと、幸助はぽかんとしたボルドスに一礼する。

「竜殺し？　まったまた〜冗談だろう？」

エリスの予想通りボルドスは信じていない。十代前半に見える少年が偶然でも倒せるわけないだろうと。

だからホルンが生きていることと、竜の鱗《うろこ》と、とどめの幸助の身分証明カードを証拠として見せた。

「うわぁ〜本当に『竜殺し』って書いてある。証拠が揃ってるのに認められないって初めてだ」

うつろな笑いがボルドスの口から漏れている。驚きすぎて、驚いたというリアクションがとれないらしい。

「信じられなくとも本当だ。私は竜の死体を見てきたからの」

これが決定打となり、ボルドスは竜が死に、竜殺しが生まれたことを認めた。

「竜殺しのことはほかの誰かに言ってはならんぞ？　厄介なことになるだけじゃからな。竜は寿命や病死じゃないかということにしておる」

「竜が殺されたことも現実感ないけど、そっちの理由もまた」

ボルドスは目の前に行って見たことがある。そのときの印象から、黒竜にも死という当たり前の現象が訪れたことを不思議に思ってしまう。それほど黒竜の力強さはすごいものだった。

あの竜の死に現実感を得られない者はボルドス以外にもたくさんいるだろう。どの理由も信じがたいのは無理もない。

誰もが無理だと思うことをなした幸助に、エリスは自己紹介しろと促す。

「どうも。渡瀬幸助です。エリスさんとホルンに世話になってます」

「俺はボルドス。母さん……おっと姉さんの弟だ。ホルンを助けてくれてありがとな」

エリスのことを母さんと呼んだ瞬間鋭い視線が飛び、慌てて修正する。どうして修正したのか幸助は聞こうとしたが、なんらかの事情があるのだろうと自重した。

「ワタセコースケ。ここらじゃ聞かない響きの名前だな」

「あ、渡瀬がファミリーネームで、幸助が名前です。幸助と呼んでください」

「わかった、コースケ。これでいいんだな？　ちなみに俺にはファミリーネームはない。俺に丁寧な言葉遣いはしなくていいぞ。成人を迎えてないガキが大人ぶらなくていい」

「……成人って何才から？」

ボルドスも年齢を勘違いしていると確信しつつ聞く。

「知らないのか？　十八才からだ」

「たしかに成人してないけど、あと一年で十八なんだけど」

「まじで？　てっきり十三くらいかと」

「エリスさんとホルンが言ってたよりも低く見られてた⁉」

さすがに五才下はないだろうと突っ込む。

「いやぁちっこいし」

「あんたから見たらほとんどの人がちっこいでしょうが！」

幸助は同年代の平均身長に少し届かず小さめな印象を受けるが、ボルドスと比べては駄目だろう。余計小さく見えてしまう。

エリスは平均よりも高めで、幸助とほぼ同じ。ホルンはこの中で一番小さいが、幸助よりも少し小さいだけだ。

「すまんすまん。俺謝ってばかりだな」

「謝らせるようなことばかり言うお前が悪い」

ボルドスはエリスにごもっともと返し、苦笑を浮かべたが、すぐに苦笑を引っ込めて、疑問顔になる。

「しっかしあんなものどうやって殺したんだ？」

エリスは幸助がこちらの世界に来たところから、今に至るまでを説明していく。

その間に洗濯は終わった。それに幸助は気づいたが、説明が終わったあとに再開するとエリスが言ったので、ホルンと暇潰しに話していた。

このところホルンが読んでいた本は医術書や薬学書だったらしい。死なずにすんだので、興味あることを思う存分するつもりなのだとホルンは楽しげに語る。

幸助が薬草についての話を聞いているうちに、エリスとボルドスの話は終わる。

「波乱万丈な」

説明を受けたボルドスの感想がこれだった。話の聞き始めは驚きの表情だったが、徐々に呆れ顔に移っていった。

「竜殺しに飽き足らず、異世界からきた？　ミタラムに愛されてるんじゃないか？」

「ミタラムって？」

聞いたことのない単語を隣にいるホルンに聞く。

「偶然と必然を司る女神ですよ」

そのとき幸助の頭の中で『ミタラム様が見てる』という声が響いた。

「うわっ!?」

突然聞こえてきた声に、大きく驚きを表し周囲をきょろきょろと見回す幸助に、三人はどうしたのかと問う。

似たような題のアニメがあったっけと思いつつ、三人に声が聞こえたことを伝える。

「もしかすると称号を得たのかもしれんな」

「その可能性はあるな。カードを見てみたらどうだ？」

促されるままカードを取り出し、持っている称号を浮かび上がらせる。

竜殺しの下に文字が浮かんでいる。幸助には読めないが『ミタラム様が見てる』と書かれている。

「増えてるな」

「増えてます」

「本当に関心持たれてんだなぁ」

「俺が世界を越えたのはこの神様のせい？」

あれが称号を得たときの感覚なのかと幸助は感心しつつ、本当にミタラムに呼ばれたのだろうかと疑問を抱く。実は竜を殺したときにもアナウンスは流れたのだが、あのときは意識を失っていて幸助には聞こえていなかったのだ。

ミタラムのせいなのかという疑問に、エリスは首を横に振る。

「ミタラムは神といえど中級神、ほかの世界まで干渉はできぬだろうよ。ついでにいえば上級神も無理だろう。可能性として残るのは世界神のみじゃな。だが世界神が世界を作った以外になにかしたという話を私は聞いたことはない。コースケがここにいるのは偶然。だからこそミタラムもお主に目をつけたのじゃろう。己の管轄外の偶然を引き起こしたコースケを面白いと感じたか」

「見世物小屋の動物の気分だよ。ところでこの称号ってなにか効果あるかな？」

「それは計測器を使わんとわからんのう。家に入るか」

その前に洗濯物の続きを、と幸助が言う。このままほったらかしにはできないのだ。

あとは水分を飛ばすだけのようで、タライから籠に洗濯物を移動し、魔法をかける。今日は天気がいいので、半分のみ水分を飛ばしあとは天日干しにする。水分を飛ばす加減は、魔法をかけ続ける時間で決まる。完全に乾かしたければ十秒間、生乾きならば半分でいい。

しわ伸ばしの魔法もあり、干すときはしわに気をつける必要はない。洗濯物を干すという魔法は作られていないようで、四人で手早く洗濯物を干して家の中へと入る。

日光に照らされ、風に揺れる洗濯物を満足げに見て、幸助は家に入る。

計測器を使って称号を調べた結果、得たものには特別な力はないとわかった。ただ神様が見てますよ、と知らせるだけのものらしい。

「だが神域には入ることが可能になったのう」

「神域っていうと、人間には入ることのできない領域って認識でいい？」

「うむ。それでよい。神の名が入っている称号を持つ者は、神域に入ることを許されておる。神域には貴重な薬草や鉱物があり、希少生物がいる。持って帰ることができれば一財産じゃな。まあ行くまでが大変じゃがの」

「知られてる神域はどこも難所だしなぁ」

ボルドスも四つほど知っているが、どれも危険な場所にある。

ここから一番近い場所だと、大陸東部の深淵《しんえん》の柱というところだ。底が見えないほど深く暗い穴で、とても大きな棒が突き立てられた跡のように見えるのでこの名がつけられた。そこでは虫や鉱石や苔が取れる。特殊な場所にあるだけあって、そのどれもが貴重なものだ。

「行くようなことはないだろ。冒険者協会の依頼にも滅多に出ないしな」

「出しても意味はないから出さないだけじゃ。そういった依頼は達成可能な冒険者に直接依頼されるからの」

強いことと神域に入ることができるという二つの条件を満たす冒険者は少なく、神域関連の依頼は常に人手不足だ。

ほかに邪神域という場所もある。そこには世界に害を与える神が封じられていて、貴重品などないし人が行けるような場所でもない。

洗濯魔法の教授と神域の話は終わり、少し早いが昼食の準備を始めようということになった。

今回は幸助が作る番だ。記憶に残っている手順で作っていけば失敗はしないとすでに一度作ってわかっている。保管されている材料からコロッケにメニューを決めた。パンとスープが余っているのでそれも出す。

材料をみじん切りにできるミキサー魔法もあるので調理に手間がかからない。

幸助が作っている間、ボルドスが自分の知っているニュースをエリスとホルンに話していく。

あと半年ほどで武道大会が開かれるとか、北部はかわらず戦争中だとか、暇潰しのダンジョンで高品質付与武具が出たらしいとか、どこかの犯罪組織が潰されたなど幸助の耳にも届いてきた。

テーブルにできあがった料理を並べると、三人は話を切り上げた。

神に祈りを捧げ、フォークを手に持つ。

「この料理は見たことないな」

コロッケにフォークを刺しながらボルドスが言った。

「コースケの国の料理なのでしょう。名前はなんていうの？」

「コロッケ」

「うまけりゃなんでもいいや……うん、うまいっ」

旺盛な食欲を見せるボルドスの横で、幸助とエリスがコロッケの作り方について話している。話がてんぷらまで及んだとき、料理が冷めるからとホルンが止めた。

賑やかな昼食が終わり、後片付けも終わり、食休みをしながら四人は話している。

「このあとコースケはボルドスと模擬戦じゃ」

「わかった」

「え？」

うなずいたのはボルドスで首をかしげたのは幸助だ。

「な、なんでいきなり模擬戦？」

「竜殺しの戦闘能力を見てみたいからじゃよ」

「俺、戦ったことはおろか、喧嘩の経験すらないんだけど」

ボルドスとの体格差もあり、幸助は及び腰だ。

「ならばなおさら経験しておいたほうがいい。こちらの世界はお前さんがいたところより物騒じゃからな。一度くらい経験しておいたら、いざ実戦ってときに動きが固まらずすむ」

竜が実在し、人にあだなすのだから幸助にも地球より物騒らしいことはわかる。護身の術も必要そうだ。

しかしいきなり言われても心の準備ができていない。

「殺し合いをさせようというわけじゃない。素手での殴りあいじゃ。やりすぎる前に私が止めるしの。そこまで痛い目もみないじゃろうて」

渋る様子の幸助を見て、エリスは言う。

治療なら任せてとホルンも模擬戦を止める様子はない。

幸助はこの先必要なら仕方ないと、持ち前の諦めの早さを発揮して受け入れた。表情は曇ってはいるが。

再び庭に出た四人は、洗濯物を干した場所とは別の場所に移動する。せっかく綺麗に洗った洗濯物を巻き込んで汚したくはなかった。

柔軟体操をするボルドスをまねて、幸助も体をほぐしていく。十分に体が温まったと判断したエリスが二人の間に立ち、呼びかける。

「そろそろ始めるぞ」

エリスの声に反応して、二人は向き合う。

「始める前にボルドス」

「なに？」

「称号をバーサーカーに変えておけ」

なにそのやばそうな称号と幸助は困惑顔となる。

「いやさすがにそれは駄目だろう？」

ボルドスもうなずけないのか、拒否する姿勢を見せる。

「なにを言っておる、相手は竜殺しの称号じゃ。強化して体を丈夫にしておかねば、いらぬ怪我をするかもしれんぞ」

「でもよ。確実に暴走するぜ？」

「そのときは私かコースケに止められるだけじゃ」

「きちんと止めてくれよ？」

　念を押すようにエリスに言う。

「家を壊されてはかなわんからの、しっかりと止めてやる」

　それならとボルドスは虚空を見つめる。この状態が称号を変えている状態なのだろう。

「バーサーカーってなんか嫌な響きなんだけど。そんなものに変えて大丈夫？」

「大丈夫。私かお前さんなら止めることはできる。変更は終えたな？　では始めっ！」

　合図を出したエリスはホルンのそばまで下がる。いつでも魔法が使えるように準備を整え見物に回る。幸助の動き一つ見逃すまいと真剣な表情で模擬戦を見ている。

「始めは小手調べだ」

　そう言ってボルドスは真っすぐ幸助へと近寄り、ストレートを放つ。小手調べと言っているが、そこらのチンピラが殴りかかるよりも早かった。

「うひゃっ!?」

　幸助は小さく悲鳴を上げてなんとか右によけた。ボルドスの動きがはっきりと見えているのだが、それでも怖いものは怖いのだ。

「次々行くぜ？」

少し情けないながらもしっかりよけた姿を見て、これならば大丈夫そうだとボルドスはさらに速度を上げていく。

左手のジャブで幸助が右にずれたのを確認しての、右ストレート。これは幸助の右頬をかすめる。

耳元で拳が風を切り、それに注意がいっている幸助へと、死角からの左ローキック。パアーンといい音がして腿《もも》へと命中。

「痛ぁっ……くない？」

軽く当てられたという振動だけで、幸助は痛みを感じなかった。

ボルドスはさらにもう一度、左のローを放つ。今度は下がってよけられる。それを織り込み済みの左足を軸とした回し蹴り。ローは前に出るために放ったのだった。これも命中かと思われたが、幸助が下がりぎりぎり服をかすめるだけとなる。

フェイントも織り交ぜ攻撃は続く。当たるものと当たらないものの差が顕著だ。それはフェイントを使ったか使わなかったか。フェイントを織り交ぜた攻撃は景気よくほとんどが当たるかかするかしていく。

しばらく攻撃を続けたボルドスが止まる。

「よけてばかりか？　反撃はどうした」

ボルドスはわざと止まって攻撃を誘う。丁寧に指でちょいちょいと招くように挑発つきだ。挑発にのったか、好機と捉えたか、幸助は踏み込み右ストレートを打つ。

ボルドスから見れば、構えも踏み込みもなっていないストレートだ。たいした威力はなさそうだと右手を出して受ける。

差し出した手に拳が当たる。ごく当たり前に止められるとボルドスは考えていたが、衝撃が予想以上で結果はあっさりと力負け。幸助の拳を止めきれず、ボルドスは自身の右手ごと胸に叩きつけられた。

予想外の衝撃にボルドスはよろめいて二、三歩後ずさった。小さな驚きが脳裏にはしり、さすがは竜殺しだと笑みが浮かぶ。

これでボルドスのスイッチが入る。

ボルドスから闘気が放たれる。初めて感じた闘志に幸助はまたおびえるが、そんなものは関係ないとボルドスは連続して攻撃を仕掛け、幸助はそれになんとか対応していく。

徐々にボルドスの目からは理性の輝きが消え、代わりに強い戦う意思が宿る。そして闘気に混ざって殺気も放たれ出す。

殺気など向けられたことのない幸助は、薄ら寒いものを向けられたと感じ取っていた。

「雰囲気変わったんだけど!?　なんだか寒気が!?」

「ここからが本番じゃぞ、気を抜くなよ？」

「本番って!?」

　エリスの言葉は正しい。

　動き出したボルドスからは手加減がまったくなくなっていた。

　肉体的にはまだまだ余裕があるが、精神的にはわりと一杯一杯でこれ以上は勘弁してほしいと幸助はボルドスを見る。やめる雰囲気はまったく感じられず、幸助はボルドスの動きに集中してよける準備を怠らない。

　ボルドスは、ホルンには捉え切れない動きで、幸助との距離を詰め、膝、肘、肩など体の部位全てを使って連撃を仕掛けていく。フェイントはなく、全て幸助を捕らえ地に叩きつけるための攻撃だ。

「うおおおぉぉっ！」

「ちょっうわっあぶなっ⁉」

　幸助は攻撃をかわしていく。最初こそかわしきれず浅めに攻撃は当たっていたが、回避回数が増すほどに攻撃は当たらなくなっていく。

　ボルドスにスイッチが入ったように、闘争の雰囲気に触れて幸助にもスイッチが入ったのだ。

　もともと身体能力のスペックはボルドスを凌駕《りょうが》している。本気でよけようと集中すればボルドスの攻撃を捉えることはできるのだ。

　経験不足ゆえに予測しよけることはできない。しかし凶暴化しバーサーカーの称号で暴走が強化され、動きが雑になってきている今のボルドスの動きならば、見てよけることなど簡単なのだ。

十分間よけ続け、幸助は完全に攻撃をよけられるようになっていた。最初の大きすぎる動きでの回避はもう見られず、最小限の動作でよけている。

「幸助」

「なに？」

エリスの呼びかけに応える余裕すら生まれている。

「一回おもいっきり殴れ」

「なんとかできそうだけどっいいのっ？」

「その状態のボルドスは気絶させせんと止まらん。なに打撲なんぞホルンにかかればすぐに治るから遠慮はいらん」

「気絶させられるかわかんないよっと」

自分の筋力が高いとわかっているが、どれだけ高いのかわからず、手加減のしかたもよくわからないのだ。

「そのときは私が気絶させるさ」

幸助はよけながらタイミングが合うのを待つ。

すぐにそのときは訪れた。ボルドスが強引に動いて体勢を崩したのだ。

「ここっ」

前屈《かが》みの状態から立て直したところに踏み込み、掌打を腹にぶちかました。掌打なのは拳を握って殴ると、殴り慣れていない人間だと拳を痛めることがあると思い出したからだ。

幸助が手を振りぬくと、ボルドスは体をくの字に曲げて五メートルほど吹っ飛んで地面に転がった。

殴った者も指示した者も見ていた者も、その結果に驚いて固まる。三人とも人が水平に吹っ飛んでいくのを見たのは初めてだった。

「……なんか思ったよりも」

ボルドスはその一撃で気絶したようで動かず、倒れたままだ。

「……ボルドス大丈夫？」

顔を引きつらせながら幸助がボルドスを指差す。それでエリスとホルンは我に返る。

ホルンが駆け足でボルドスに近寄り、診察していく。

「ホルンどうじゃ？」

「治ります。ですが想像していたより重傷でした」

ホルンが断言したことで、エリスの固い表情は緩くなる。

「具体的には？」

「胸骨とあばら骨と背骨にひびが入ってますね。腹筋も痛んでます。内臓もひどくはありませんが傷ついてます。念のため夕食は消化に良いものを食べさせたほうがいいかもしれません」

「おもいっきり殴れって言ったせいじゃな」

「……殴った俺にも責任あるけどね。この力は怖いわ」

少し声が震えている。今幸助は心臓が激しく脈打ち、膝もがくがくと細かく震えている。人を殺す意図はなかったが、それでも殺しかけたことに恐怖を感じている。

幸助も幾度か攻撃はくらったが、かすり傷一つないのだ。ここまで一方的だとは思ってもいなかった。

「そういう感情を持ち続けることができるなら、力に酔って暴れることもないじゃろ」

そうあってくれという希望も少し含まれている。

「……暴れるってか振るうことすらためらわれるんだけど」

「それだと万が一の事態に対応できん。ある程度は力に慣れなければな。己の使い方次第じゃ。使いどころを誤らず、欲のまま動かず、力に振り回されず。これを守ればまあなんとかやっていけるのではないか？」

「道具と同じか。道具に感情はなく、良いも悪いも使い手次第。そんなことを聞いたことある」

「そんなもんじゃろうな。力の使い方はこれまでどおり、教えてやる。どう使っていくかはコースケ、お前さん自身で考えるべきことじゃ」

治療の終わったボルドスをエリスが担ぎ、家へと入っていく。

細腕のエリスがそれを行っている様子は異様だが筋力はD-のおかげで、ボルドス程度の重さならば運ぶことは苦ではない。


一時間もするとボルドスは目を覚ました。体の調子は、治療のかいあって胃が少しだけ痛む以外はどこも悪くはないようだ。

やや悪い顔色で何かを思い出す仕草をしているが、結局は思い出すことはできなかったらしく、幸助とエリスを見る。

「結局、俺を止めたのはどっちなんだ？」

幸助かエリスかと指を差す。

「覚えてないの？」

「暴走すると記憶がとびがちなんだ。それでどっちだ？」

「俺。思いっきり腹に掌打をぶち当てた」

「ああ、だから腹が痛むのか」

なるほどとうなずいて腹をさする。

「ごめん」

「謝ることぁない。多少の怪我は納得済みだったんだ」

表情を暗くした幸助の謝罪に軽く手を振って朗らかに笑い答える。

「私からも謝っておこうかの」

「姉さんも？」

エリスが素直に謝ったことにボルドスは驚いている。

「腹が痛むのは私がコースケにおもいっきりやれと言ったからだな。あそこまで威力があるとは思ってもいなかった。称号で強化しておいてほんによかった」

「姉さんが謝るくらいだから、怪我ってそれなりに大きかった？」

ボルドスは、治療してくれたであろうホルンに聞く。

「あばら骨と背骨にひび、腹筋と内臓にもダメージあり。自然治癒に任せると、まともに食事できるようになるまで三週間弱といったところですね。一般人だと死んでいてもおかしくはありませんでしたよ」

予想以上の怪我にボルドスの笑みが引きつった。同時にそれならば謝りもするかと納得している。

強化した状態では筋力はC+、頑丈はCとなる。その状態でそこまでの怪我を負うことは仕事をしていても滅多にない。

「さすがは竜殺しといったところなのか」

「戦ってみた感想はどうじゃ？」

ボルドスは指で額をこつこつと叩き、記憶を掘り起こす。

「覚えているかぎりだとアンバランス。戦い方はなっちゃいないが、能力が高すぎる。だから、相手の攻撃が読めなくても見てからよけるなんてことも可能になってくる。フェイントにひっかかっていたのは経験不足だからだな。戦い方を覚えたら戦う者としてはあっという間に一流どころの域まで到達できるんじゃないか？」

「下地はできておるからのう。ボルドス、お前が戦い方をある程度教えてやれ」

「別にいいけどさ、長期間の滞在はできないぞ？　依頼こなさないと金が……」

「そこまで時間はかからんだろうさ。魔法も習得に時間はかかっておらんからの。基礎を教えておけば、あとはどうとでもなる」

「まあ一撃当てれば大抵はどうにかなるだろうしな。あとで剣の握り方から教えとくよ」

物理的な攻撃の効く下級の魔物ならば、パンチ一発で殺せるとボルドスは確信を持っている。

話が一段落ついたと判断し幸助は疑問に思ったことを聞く。

「模擬戦のあの変貌ってなに？」

「あれ？　あれはギフト凶暴化のせいだ。効果は筋力と頑丈を一つ上に上げるってのと、戦闘中に暴れて敵味方関係なく襲いかかるってのだ。一定以上の衝撃を受けたら正気に戻る」

「エリスが気絶させないと止まらないって言ってたけど？」

「それは称号のせいだ。バーサーカーの称号は凶暴化を強化する。それによって筋力と頑丈はもう一段階上がる。かわりに少しくらいダメージを受けただけじゃ正気に戻れないんだ」

「やっかいな称号持ってんね」

幸助の感想にボルドスもうなずく。自分のギフトや称号だが、使い勝手がいいとは思っていないのだ。

「だからいつもは生存者のほうを使ってる。生存者は体力を一段階上げて、傷の治りも早くなる。こっちの称号を手に入れるまではいろいろ大変だった。今でも苦労はあるがな」

称号は変更ができるが、ギフトは変更などできない。

凶暴化のギフトは成長させるとさらに厄介になるが、コントロールもできるようになる。ボルドスはまだまだ鍛錬不足なのだ。

「所有者にとってマイナスな効果のギフトや称号ってあるんだ」

「そう多くはないけどな」

話のあと幸助とボルドスは再び外に出て、エリスとホルンは家の中でそれぞれの時間を過ごす。

　ボルドスはそこらへんの木の枝を斧《おの》で切り、小枝を払ってブロードソードと同じくらいの長さに整える。それを幸助に持たせる。エリスに言ったように握り方からいくつかの振り方を教えて、幸助に実践させる。ボルドスは座ってその様子を見ながら、おかしな点を指摘していく。斧を使う前はボルドスも剣を使っていたので基本は教えることができるのだ。

　一つの振り方に違和感がなくなれば、次の振り方へとどんどん進めていく。日が沈む少し前には、幸助は教わったどの振り方も正確に覚えてしまい、ボルドスが指摘できる点はなくなった。素振りに関してはあとは反復練習のみという物覚えのよさに、ボルドスは驚くやら呆れるやらで乾いた笑みを浮かべていた。

　幸助はスムーズに理解できることが楽しかった。一振りごとに違和感がなくなっていき、整えられていく感じがしてパズルを詰まらずに進めていくような達成感というか充足感みたいな感じを得ていた。

「今日はここまでにしとこうや。これ以上は俺が落ち込む」

「俺も自分の物覚えのよさに驚いてる。ってか竜殺しの後押しってやっぱり反則みたいだ」

　称号なしの自分ならば、ここまで順調にいかないし体力ももたないということがよくわかっているだけに、反則具合がよく理解できた。

「だなぁ」

明日も使うだろう棒を幸助は壁にたてかけて手を洗う。そのあとは洗濯物を取り込んで、しわ伸ばしの魔法を教えてもらう。

幸助が着ている服はボルドスが以前着ていたものだ。サイズが合わなくなっていたので、捨てたのだろうとボルドスは思っていたが、エリスは一応とっておいたのだ。十年前に着ていた服を見て、ボルドスが懐かしそうにしている。

しわがなくなった洗濯物をたたんだあと、エリスは夕食の準備を始める。ボルドスのため消化にいいものを作るつもりだ。

夕食の後は騒ぐことなく穏やかに時間が過ぎていった。


ボルドスが部屋で休んでいると、誰かが扉をたたいた。

扉を開け入ってきたのはホルンだ。

「体調はどうですか？」

「ああ、ホルンか。だいぶよくなってるよ」

「念のためもう一度診察しますね」

ボルドスはもう大丈夫だと思ったが、医者の見立てで自身もわからない異変が見つかるかもしれないと、素直に受けることにした。体が商売道具の仕事なのだ、大事にしなければばならない。

ホルンが見やすいように移動し、服を捲《まく》り上げる。

診察用の魔法と触診を併用して異常がないことを確認し、そのことをボルドスに告げる。

「ありがとう」

「これが仕事みたいなものだから」

ボルドスは服を整えてそのまま話し出す。

「ほんとに無事でよかったよ。絶対二度と会えないって思ってたから」

「私も生きていられて嬉しいわ。コースケには感謝しないとね」

「避けられない死の運命をぶち壊した救世主か。運命の相手って奴だったりして。結婚もありえるのかもな」

「あら？　意外にロマンチスト？」

そう指摘されるとボルドスは急に恥ずかしくなったのか、聞かなかったことにしてくれと慌てて言った。

「恥ずかしがらなくても。それにしても運命の相手ですか……救世主とは思いましたが」

この一週間のことを振り返り、感謝の念と親愛の情を抱いてはいるが恋慕の情は湧いていないことを自覚する。

喜ぶ姿をほほえましく感じ、笑顔を可愛いと思った。しかし、それは恋を含んだ感情ではなく、母性愛や家族愛に近い。

「恋愛とかはあまり。コースケを嫌いというわけではないのですが」

「危ないところを助けられて、好意から恋愛に発展したっていう話は何度か聞いたことあるぞ？」

「なんというか、ここに来るまでにコースケのすごいところだけじゃなく、弱い部分や年相応の部分も見ることができました。それで可愛いなと思ったんですよね。弟がいたらこんな感じに接したのかなと」

「弟か。親愛の情が高まりすぎたってことかもなぁ」

「かもしれませんね」

これから幸助が頼りになる側面を見せたら、恋愛感情へとシフトする可能性もあるのかもしれない。

そんなことをボルドスは考えてみた。

竜殺しの過ごす日々

三章

街へお出かけ

6　試験な旅立ち

ボルドスと出会った次の日も三人から魔法と知識と戦い方を教えてもらい、そんな日々が一週間続いた。

この一週間で、幸助はこちらの世界で生きていくうえで必要最低限のことは習得した。学習能力が高い上に、本人のやる気も高いのだからスポンジが水を吸うがごとく、余すことなく自身のものとしていった。

魔法は攻撃から家事まで主に使いそうなものは頭に入っている。知識は生活するのにも問題はない。戦いは言うまでもない。駆け出し冒険者などものともしないくらいの実力を持っている。盗賊三十人程度なら笑いながら無力化できるとはボルドスの言だ。ぶっちゃけボルドスよりも強くなった。このことにボルドスは、自己鍛錬に費やした時間を思って一粒の涙をこぼした。しかし実際は、幸助はボルドスとの戦いに慣れただけだ。

成長した幸助は今、出かける準備をしている。講義の集大成として街に出て一ヶ月ほど暮らしてみることになったのだ。いつまでもここに引きこもってばかりじゃ教えた意味がない、街に出てみろ、とエリスに命じられたのだ。たしかに一理あると幸助はうなずいた。こちらの街はどんなものか興味もあったのだ。正直不安がないわけでもないが、だからといって一生エリスに頼りっぱなしではいられないだろう。

さすがにたった一人で放り出すのは問題があるかもしれないと、一緒にボルドスがついていくことになっている。しかし実のところ今回のことはそろそろ街に戻ると言ったボルドスの言葉を聞いて、エリスが思いついただけだったりする。

「準備終わったかコースケ」

「準備って言っても荷造りしてもらったものを背負うだけだよ」

荷物の入ったリュックを背負い幸助はボルドスに答える。そうだなとボルドスが苦笑を浮かべた。

与えられた部屋からリビングへと移動する。

エリスがいくつかの袋を持って幸助に近づく。

「これが一ヶ月の生活費、こちらが剣一本買うお金だ。この生活費と同じ額を一ヶ月で稼いで返すことができれば、お前さんはどこでも生きていくことはできるじゃろ。剣のお金は餞別《せんべつ》じゃから返さんでよい。なくさんようにな？」

「うん」

受け取ったお金をリュックにしまう。

このお金は借金に近い支度金だ。エリスは一月で返すように言ってはいるが、強制ではないし利息もとらない。一ヶ月を目安に頑張ってみろという意図を含んでいる。エリスにとってはこの程度のお金ははした金に近く、剣のお金と同じように餞別《せんべつ》として渡してもいいのだが、借金という形にしたほうが気合が入るだろうと考えたのだ。

「そのまま街にいつくのもよいが、一度は戻ってくるんじゃ。わかったな？」

「了解です。といってもここで暮らし続けたいって気持ちは変わらないと思う」

幸助にはここが実家のように感じられているのだ。おそらくこの世界で居場所がまだここにしかないからだろう。美人二人との生活を捨てがたいという下心もある。

「まあ、それならそれでもよい。戻ってくることを拒みはせんよ」

「ええ、私もお土産話を楽しみに待ってます。体に気をつけて楽しんできてください。それと知らない相手にはついていっては駄目ですよ？　あと無計画なお金の使い方もしないようにね？」

幸助に対して弟のような意識があるせいか、ホルンは保護者のように振る舞い声をかける。それに幸助は少し戸惑いを感じるが、ありがたいとも思う。

「うん。特別なことをしようってんじゃないから、気楽にいくよ」

エリスとホルンに見送られ、期待と不安を胸に抱いた幸助はボルドスとともに出発する。

目的地はここから歩いて三日の位置にあるベラッセンという街だ。リッカートに比べると格段に落ちるが、街としては規模は大きいほうだ。

幸助が飛翔《ひしょう》魔法を使いボルドスを抱えていけば移動時間は格段に短縮できるが、旅の仕方と野宿の仕方を教わるために歩きで移動することにした。エリスの家に着くまでに旅も野宿も経験したが、あれが正しいやり方とは幸助も思っていない。

二人の姿が木々の向こうに消えてしまっても、エリスとホルンはそちらの方向を見つめていた。

「街でどんなことを経験してくるかのう」

「色々とでしょうね。苦しいこと辛いことがなければいいんですが」

「多少の辛苦は経験したほうがよいさ。世界の厳しさを知っておいたほうがよい」

両者とも幸助を思っての言葉だ。甘さと優しさが混ざった言葉だろう。

「大事にさえならなければフォローはできるしの」

付け加えられた言葉にホルンは「あら?」とつぶやき小さく笑みを浮かべた。

「気にかけますね?」

「なぜだかな。放っておけないのじゃよ」

エリス本人もどうしてだかわからず首をひねっている。

まあよいとつぶやき、エリスはホルンとともに家に入っていった。

出発した翌日。昨夜は経験者と一緒の野宿で、余裕ある一夜を過ごせた幸助。空には満天の星が見え、天体観測を楽しむ余裕もあった。キャンプみたいだったなと浮ついていた幸助の気持ちを引き締めるような事件が起きる。

そのきっかけは幸助が魔物を見つけたことだ。

「なにかいる？」

「どしたコースケ？」

草原の中に少し違和感を感じ、幸助は立ち止まる。

「あのあたりが動いたような……」

「どのあたりだ？　あ、たしかになにかいるな」

幸助が指差すあたり、二十メートル先の草むらの中をじっと見つめ、わずかな違和感をボルドスも感じ取った。

なにかがひょこりと立ち上がり、草の上に姿を見せた。見た目は猿だ。

「猿？」

「ありゃあラッツモンキーだ」

「魔物としての猿だな。動物の猿よりも凶暴で力は強い。魔物としてのランクは低い。普通は群れで行動してるもんだが、新しく群れを作るために群れを出た奴か年取って追い出されたか」

小さい頃から、平民が受けられる以上の教育をエリスに受けさせられたので、こういった魔物知識をボルドスは豊富に持っている。知力D-は伊達《だて》ではない。

エリスに授けられた知識は、歴史や文学といったものにボルドスが関心をみせなかったため、学問というよりはサバイバルなど実践寄りだ。

幸助は魔物との戦い方については教わっていない。

「こっちには気づいていないのか。放っておいてもいいんだが、コースケ戦ってみるか？　実戦を経験しとくのはいいことだぞ？」

「実戦って得物これだよ？」

ボルドスが作った木の棒を持ち上げる。犬を追い払うくらいなら頼りになるが、魔物相手だと大丈夫なのだろうかという思いが湧く。

「それで十分だろ。一撃当てれば終わるだろうしな。魔物に自分の力がどれだけ通用するのか知っておいたほうがいい。まああっけなく終わるだろうが。あと魔法はなしで」

「んー……一撃で終わるってことは殺すってことだよね？」

「そうだが、気にしなくていいぞ？　生きてても人間に迷惑しかかけんし」

「それでもちょっと抵抗があるんだけどさ」

「そういう気持ちにふんぎりつけるためにもいってこい」

ドンッと幸助の背を押す。そしてボルドスはラッツモンキーへと石を投げつける。石はラッツモンキーのそばを勢いよく通り過ぎていった。

これで二人に気づいたラッツモンキーは威嚇しながら近づいてくる。

全身が明るい茶の毛で包まれており、頭頂部と尾の先の毛だけは黒い。鋭い牙と爪を持ち、猿よりも少し大きい。これがラッツモンキーだ。


野生の世界は弱肉強食が基本にして全てと言ってもいい。格上の相手との戦いは極力避けるか、仲間と共に挑むものだ。一対一で戦うことなど、逃げ道がないほど追い詰められないと起こらない。

今回はどうかというとラッツモンキーは逃げることは可能で、戦う必要はなかったのだ。

それなのに格上である幸助に挑んできたのは、幸助が弱気だからだ。いくら相手が強かろうがその能力を活かすことができていなければ隙を突くことは可能だ。ラッツモンキーもそれを本能で悟ったのだ。

幸助とラッツモンキーの間で戦いが成立してしまったのは、弱気で臨んだ幸助が悪い。

そんな幸助に戦わせたボルドスにも原因がある、とはいえない。出会ったばかりの幸助のことを理解して動けというほうが無理な話だ。

ラッツモンキーのほうはやる気満々だ。対する幸助はテンションが上がりきらない。向かってくるラッツモンキーに、幸助は棒を振って対抗する。

振った棒は見事ラッツモンキーに命中、鎖骨周辺を砕き肉を潰す感触が棒を通して感じられた。棒は衝撃に耐え切れず真っ二つに折れ、ラッツモンキーは血をまき散らして絶命した。血が頬や手につく。

「うわっ」

すでに動かなくなったラッツモンキーを見て、目を逸《そ》らす。血の匂いを嗅ぎ、いっきに気分が悪くなった。

口を手で押さえ、吐きそうになるのを我慢して一度逸らした視線を戻し、ごめんとつぶやいた。罪悪感があるのは襲いかかられたわけでもなく、殺す必要もなく、いたずらに命を奪ったことで感じられるのだろう。

ボルドスたちこの世界の住民から見れば偽善なのだが、日本の一般家庭で育った幸助には悪いことをしたという意識が生まれる。

ボルドスにはそんな気持ちはわからない。この世界では魔物の命を奪うことに良心の呵《か》責《しゃく》を覚える者などいない。それは幸助がゴキブリや蚊をためらいなく殺すことと同じようなものだからだ。

売れる部分があるだけ害虫よりましな存在だが、殺すことにためらいがないことは変わらない。

殺さないといずれ自分たちに被害を及ぼす可能性があるので、ためらう必要もないのだ。

「やっぱり一撃で終わったな」

「……終わったね」

明らかにへこんだ声色で、ボルドスに同意する。

「テンション低いな」

「ある一定以上の大きさの動物をいたずらに殺すのは、元の世界だと罰せられることだったから悪いことしたって思っちゃうんだよ」

「そこらの感覚は慣れるしかないのかもな」

「殺すことに慣れる？　慣れたくないよ」

「いや殺すことじゃなくて、ああいった魔物は人にとって害悪でしかないんだ。だから罪悪感を抱く必要はないってことに。倒して褒められることはあっても、罰せられることはない」

「こう……見た目がもっと醜悪だと平気かも」

と、言い訳をしてみた。

「そういったやつもいるにはいるが、やっぱり慣れろとしか言えんな」

「……郷に入っては郷に従えっていうしね。頑張ってみる」

常識が違うのだから、自身の常識にこだわってもこちらでの生活では不審に思われるだけだ。いずれ帰るつもりではあるが、それまでの生活を苦しいものにしたいわけではないのだ。努力してみようという気持ちになった。

「なんだそれ？」

「住む場所の習慣に従ったほうがうまく生きていけるって意味のことわざだよ」

「なるほどな」

似たような言葉があったなと思い出そうとするボルドスに幸助は、ラッツモンヤーはどうするのかと聞く。

「どうするって？　こいつは特に剥ぎ取るような場所はないぞ？」

「そうじゃなくて、このまま道にほったらかしにしておいていいのかってこと。あとでここを通る人の邪魔にならない？」

「そういうことか。このままでもかまわない。いずれ野犬や狼《おおかみ》といった肉食の獣が持っていく。気になるなら道の端にでも寄せておけばいい」

気になりはするが触る気が起きないので幸助はそのままにしておくことに決めた。

歩き出して、幸助はさきほどの剥ぎ取るという言葉が気になり聞いてみた。

「さっき剥ぎ取るって言ってたでしょ？　役に立つ部位を持ってる魔物っていんの？」

「いるぞ。魔物のどこそこを取ってきてくれっていう依頼がよく出てる」

幸助はＭＭＯＲＰＧの狩猟ゲームを思い出した。幸助自身はインターネットを必要とするゲームはやったことがないが、それでもゲーム自体はやっていたので時折そういったゲームの情報も入ってきていたのだ。

（リアルで狩猟をやるとは思ってもいなかった。人生ってなにが起こるかわからん）

首を横に振り、人生の不思議さを笑う。

「どうしたんだ？　乾いた笑みなんか浮かべて」

「なんでもないよ」

二人は旅を続ける。


ベラッセンに着く前にもう一度魔物と戦うことになる。ファードッグという犬の魔物で、ふかふかの毛の中にいくつかの角を隠し持った魔物だ。それが四匹。

また幸助一人で戦った。複数との戦い方を実践するいい機会だとボルドスは言った。魔法もまた禁じられている。武器は折れた棒と同じく、そこらの木の枝で作られたボルドスのお手製の棒だ。

ボルドスからの忠告を受けながら、戦いは無事に終わった。怪我はない。三度ほど体当たりを受けたが、持ち前の頑丈さで痛くもなんともなかったのだ。

戦いが終わり、ボルドスからいくつか指摘を受けた。一般人ならば数針縫う怪我を負うところだと聞かされ、自身の非常識さを再認識させられた。

やはり罪悪感は感じたのだが、ラッツモンキーのときよりも小さかった。一度殺すということを経験したことで、受ける衝撃は小さく感じられるようになってしまっていた。このまま慣れていくのかと複雑な思いがあった。

収入もあった。ファードッグの角はそう高くはないが売れるのだ。十三本の角がとれ、それは全て幸助のものとなった。ボルドスにとってはたいした収入でもないらしい。ちなみにこれだけで一人一日分の食費になる。

二度の戦闘以外はなにごともなく、予定よりも少し早くベラッセンに到着した。二人の体力の高さ故、進行速度が落ちなかったからだ。

ベラッセンは、主要道の石畳にそれ以外の土の地面とレンガと木の家、洋風の光景が広がる街だ。人口は五万人ほど。幸助の知る街と違い、魔物に対しての防衛として三メートル弱の石塀が街を囲んでいる。街の西にこの街で一番大きな屋敷がある。この街を治める貴族の屋敷だ。

街の入り口に歩兵が立っている。ボルドスが近づくと、顔見知りのようで気軽に挨拶してくる。歩兵の視線が幸助に動き、ボルドスが知り合いだと説明する。それだけの説明で満足なのか幸助にもにこやかな歓迎の笑顔を向けてくる。

彼らに一礼し幸助はボルドスと一緒に街に入る。

「ここが俺が根城にしてる街ベラッセンだ。リッカートより小さいが、そのぶんのどかで落ち着いたところだ」

「なにか特徴とかある？」

「……ないな。まあ目立つ特徴を持った街なんてものは多くはないし、これが普通だろ」

「そだね」

「さて最初はどこに行くか……そうだな、剣を買いにいくかな。こっちだ」

ボルドスに先導され、ボルドスいきつけの武具店へと向かう。

道行く何人かに声をかけられつつボルドスは目的の店に入る。幸助には読めないが看板にはチェイン武具店と書かれている。

作業中なのか、店の隣の建物から金属を打つ音が聞こえている。

カウンターで紙になにかを書いていた二十歳すぎの女が、客が入ってくる物音を聞き顔を向ける。邪魔にならないよう紐でまとめられていた黄色の長髪が、動きに合わせてゆらりと揺れる。客がボルドスだとわかった途端、花咲くような笑みを浮かべ出迎えた。

「いらっしゃい！」

「よお」

「ここ何日か街でも見かけなかったけど出てたの？」

「姉さんのところにな」

「そうなんだ。今日はなんの用？　後ろにいる子に関係するのかしら？」

「そのとおり」

斜め後ろで店内を珍しそうに見ていた幸助の背を押して前に出す。

「こいつは……弟分みたいなものでコースケ・ワタセ。こいつの剣を買いにきた。鋭さよりも頑丈さを優先したそこそこの剣をくれ」

少々鈍でも力で叩き斬れるだろうと、刃の鋭さよりも壊れにくさを優先したのだ。

「えっと、お願いします」

「私はクラレス・チェイン。よろしく。ちょいとこっちに来てくれる？」

クラレスは手でちょいちょいと幸助を招く。幸助は招かれるまま近づいた。

「手を出して」

「両手ですか？」

「利き手でお願い」

はい、と出された手と腕をクラレスは丹念に調べていく。手のひらを触ったあと、腕を人差し指で突いて筋肉の感触も確かめる。

　これでどういったことがわかるのだろうと、幸助はぼんやり考えている。

　幸助の手から目を離さず、クラレスは口を開いた。

「剣を扱い始めてそんなに日がたってないでしょ」

「わかるんですか？」

「うん。私も職人の端くれだからね。これまでそれなりに冒険者たちを見てきたから、彼らの手と比べてね。もういいよ、ありがとう」

　クラレスは店の奥にある棚から三本のブロードソードを持ってきた。

「注文の中でコースケのサイズにあうものだと、この三本だね。値段も手ごろなはずよ」

「この中で一番重いのは？」

「これだよ」

　ボルドスの質問に右のブロードソードを指差し即答する。

　ボルドスは指差された剣を取ってコースケに渡す。

「抜いてみな」

　渡された剣をさやから抜いて、幸助は正眼に構えた。教えられたことを忘れず綺麗な型で止まっている。

　初めて手にする本物の剣に、幸助は感動の視線を向ける。

「重さは大丈夫か？」

「大丈夫。すごく軽いよ」

「まあ、そうだろうな」

あれだけ筋力が高ければ剣の重さなどものともしない。だから一番重いものを選んだ。重さでダメージが増すように。

さやに剣を戻す幸助を驚いた顔でクラレスは見ている。剣を使い始めて間もないのに、それにしてはあまりにも構えが整っていたからだ。

「自分で言っておいてなんだけど、あの子本当に剣使い出したばかり？」

「そうだぞ。剣を使う練習を始めて一ヶ月もたってない。本物の剣を握ったのは今日が初めてじゃないか？」

「うん。なたは使ったことあるけど、剣はこれが初めて」

「ちょっと信じられないなぁ。あれだけ綺麗な型、そうそう見られるものじゃないよ」

「物覚え早いからなぁ」

「反則ですよね」

「だなぁ」

自分のことなのに他人事のように話す幸助が理解できず、クラレスは首をかしげる。

「天才ってやつなのかしら？」

「そうかもなぁ」

竜殺しのことを説明はできないので、天才ということにして話を取り繕った。二人とも、天才とたいしてかわらないだろうとも思っている。

お金を払い、剣は幸助のものとなった。腰に下げるためのベルトは、今後もひいきにしてもらうためかサービスしてくれた。

幸助は腰に加わった重さ自体は気にならないが、どことなく違和感を感じている。剣自体に憧れみたいなものはあるが、その剣を実際に振るようになったことに信じられない思いがあった。

「じゃ、行くわ」

「もう？　防具は？」

「このあとギルドと宿に行く予定だからな。防具はまた今度だ。金がない」

なくても平気なことはファードッグとの戦闘で証明されている。もっとランクの高い魔物と戦う場合は平気とはいえないだろうが、ここらで暮らすぶんには大丈夫だ。一ヶ所を除いて強い魔物はでない。予想外のことが起きなければの話だが。

そんな予想外の事態などそう起こるものではないし、防具のことは後回しにしたのだ。

「あなたがそういうなら大丈夫なんでしょうけど。無茶をさせちゃだめよ。駆け出しなんでしょ？」

知らないがゆえの言葉だとわかっていても竜殺しを心配するクラレスに呆れてしまう。

「俺よりも強いから大丈夫さ」

「冗談ばっかり言って。バーサーカーのあんたにあの子がかないそうには見えないわよ。とにかく防具は今度なのね。わかったわ、また来てよね」

「おう。腕磨いておけよ」

「ベルトありがとうございました」

「気にしなくていいよ。初めてきた客には大抵サービスすることにしているから」

店を出て行く二人に、クラレスは威勢よく「まいどあり」と投げかけた。

武具店を出た二人は、次の目的地である冒険者たちの集まるギルドへと向かう。


ボルドスが歩きながらギルドについて説明するが、幸助の思い描いたものとたいして違いはなかった。

冒険者にとっては依頼と情報を提供してくれる場所だ。依頼人にとっては問題を解決してくれる人がいるかもしれない場所。

冒険者はどんな依頼でも受けることができるが、あきらかに力量にあっていない場合は止められる。ギルドから依頼遂行の指名をされることもある。そのような場合はギルドが報酬を上乗せしてくれる。よほどの実力と名声を持っていなければギルドからの指名はない。

歩く二人の前に大きめの喫茶店が見えた。ボルドスが目指しているギルドだ。もとは酒場だったのだが、先代店主が酔っ払いを嫌って変えてしまったのだ。

やや緊張した様子の幸助と慣れた様子のボルドスがギルドに入ると視線が集まり、すぐに散った。

幸助は集まった視線に押されるように一歩退いた。

「なんで見られたの？」

「俺はここらあたりだとそこそこ有名人なんだ。その俺が連れてるお前さんが気になったけど、たいしたことなさそうに見えたからすぐに散った。こんなとこだろ」

大当たりだった。実力のある者ならば自分たちの仕事が減る可能性がある。すなわち収入に響くのだ。仲間に引き入れることも考え、どれくらいのものなのか観察し、価値は高くなさそうだと判断したのだった。

ステータスと外見と雰囲気のバランスがおかしい、今の幸助の実力を見抜ける者などそうはおらず、そんな結果になっていた。

なるほどとうなずく幸助を登録カウンターまで連れて行く。カウンターには二十代半ばほどの女と十代半ばくらいの少女がいる。二人とも職員用の制服を着ているが、少女の方は着慣れていないように見える。

年上の女は濃緑の髪を肩あたりで切り揃え、黒い瞳で泣きぼくろが色っぽい美人だ。少女の方は茶に近い金髪のショートカットで、みかん色と黄色のクリッとした大きな目が愛らしい。だが幸助はどことなく少女の愛らしさを台無しにしているなにかを感じ取った。少女は幸助を見て目を見開いている。どうしてそんな反応をされるのかわからず、幸助は首をかしげた。

ここできちんと少女の顔を見たことで幸助はオッドアイだと気づく。けれど異世界だから珍しくはないのだろうと、流した。

「ボルドスさんお帰りなさい」

年上の女が頭を下げる。

「あいよ。こいつの登録してくれないか？」

「はい、ではこちらの紙に記入を——」

「せせせ先輩！」

してください、と受付をしている職員が言いかけて邪魔が入った。遮ったのは少女だ。

ボルドスはその少女に見覚えがなく、新入りかと推測する。

「なにか用事？」

「私が登録を担当してもいいですかっ!?」

誰が見ても興奮しているとわかる様子で先輩と呼んだ女に頼む。

「別にかまわないけど、どうしたの。やけにやる気に満ちてるわね？　ま、いいわ。どじさえしなければ。失礼しました。こういったわけですので、ここからはこちらの職員が説明いたします。新入りですので至らないところは多々あります。なにかしでかした場合はすぐに私かほかの職員をお呼びください」

「至らないとかなにかしでかすとか、ちょっと不安になるんだけど」

幸助の言葉に職員はにこやかに笑い、

「ええ、この子どじですから」

断言した。ここで働き始めてから、よほどどじを重ねてきたのだろう。

しかし悪い人ではないのだろう。どじどじと繰り返し言った職員の言葉の中に、けなし嘲るような響きは含まれていないのだから。

「手順は覚えてるわね？」

「自信はないですけどメモがあるんで大丈夫です」

胸のポケットから手順が書かれたメモ帳を取り出す。

「それならいいけどって、いいわけないわ。普通は覚えておかないと駄目なのよ。でも業務が滞ることがないのなら、それを認めるしかないのかしら？　とにかく自分から言い出したのだから、きちんとこなしなさい」

「はい」

念を押して職員は幸助とボルドスに一礼し、別の仕事をするため少し離れた位置に移動していく。

「ここからは私ウィアーレが登録作業を進めさせてもらいましゅっ」

かんだ。本当に大丈夫なのかと幸助とボルドスの胸中に一抹の不安がよぎる。

ウィアーレは涙目になり取り出したメモ帳を開いて、手順を確認する。

「ではこちらの用紙に記入をお願いします」

差し出された紙と木炭を受け取って、日本語で書こうとして止まる。

「俺、字の読み書きできないんだ」

「えっ!?」

ウィアーレが大きく驚いた顔になる。

どうしてそこまで驚くのかわからず幸助は首をかしげる。ボルドスも読み書きできないことは珍しいことではないと知っているので、ウィアーレの驚く理由がわからない。

「そこまで驚くこと？　もしかして読み書きできないのってすごくおかしい？」

それならばホルンとエリスも文字を教えてくれるはずだ。確認するようにボルドスを見ると、首を横に振っていた。

「い、いえまさかあなたが文字の読み書きできないとは思ってもなかったので」

「おかしくない？　俺のこと知らないよね？　俺は初めて君と会うんだけど」

「はい、初対面です。でも私のギフトであなたが竜ごろ――」

しってわかりました、と続けようとしたウィアーレの口をボルドスが素早く手で塞いだ。エリスがここにいれば、いい判断だと褒めただろう。

あとでこのときのことを幸助がボルドスに聞くと、嫌な予感がして素早い反応ができたらしい。

「そのことは秘密だ、いいな？」

強い魔物と対するかのような真剣さでボルドスは言い聞かせた。

それにおびえすら見せ、ウィアーレはうっすらと目の端に涙を浮かばせこくりとうなずく。

口を塞がれているウィアーレは、どうしてそんなことをされているのかわからなかった。

自分はただ称号を読み取って、それを口にしただけなのだ。これまでの仕事で喜ばれたことはあっても、このことを叱られたことはなかった。

有名な称号は誇りこそすれ、隠すものではないというのがウィアーレの常識だった。隠す人など初めて出会った。

頭の中にはどうしてという言葉が渦巻いている。

ウィアーレの目をじっと見て嘘ではなさそうだと判断したボルドスは手を放す。

「どうかされましたか？」

離れた場所で棚の書類整理をしていた職員が話しかけてくる。冒険者たちの視線も集まっている。

「いや、こいつがちょっとどじって驚いたんだ」

「そうですか」

そう言って職員は離れていく。ほかの冒険者たちもまたかと納得し注目は散っていった。

どじということが役立った珍しい瞬間だった。

「もしかして今ばれそうになった？」

事態を把握した幸助がボルドスに聞く。

「ああ、どうやらこいつは他人の称号やギフトを読み取ることができるみたいだ」

「いきなりばれてんじゃん」

もしかして隠すことって難しいのではと不安がよぎる。

「早かったな、というか早すぎだ。まさかいきなりこんな奴に会うとは。あとできっちり交渉して黙っててもらわないとな」

再び強い視線を向けられたウィアーレがひっと小さく悲鳴をあげた。交渉という部分が脅迫と脳内変換されたのだ。

「この話はあとだ。今は登録をすませちまおう」

「文字書けないし、君に代筆頼んでもいい？」

「は、はい！　え、えええええとまずはっ名前をお願いします！」

一つでもミスがあればどうなるかわからないと気合を入れ、ウィアーレは作業を進めていく。幸助は聞かれたことに答えていく。答える必要のないことはボルドスが口を挟んで止めた。ボルドスが口を挟むたび、ウィアーレはなにかしでかしたかとビクッと震えることとなる。サドな性格の人物がいればとても喜びそうな様子だ。

書類記入と書き込んだことの説明が終わると、あずかったカードにギルドに属しているという印を刻んで幸助に返し、ウィアーレはほうっと安堵《あんど》のため息を漏らす。大仕事を終えたような感覚なのだろう。

「あ、あとは依頼の受け方などの説明となります」

「ああ、そこらへんは俺が事前に説明しといたからとばしていい。あとは依頼引き継ぎと報酬関連についてだ」

「わかりましたぁ。では依頼引き継ぎについて説明させていただきます。依頼を受けて、これは自分の手に負えないと思ったり、分野が違うと判断されることもあると思います。そのようなときはギルドに来て、依頼引き継ぎの手続きをとってもらいます。引き継ぎした場合は、報酬は基本的になしです。そして依頼に関わってわかっていることを職員に説明してもらうことになります。依頼によっては違約金を払ってもらうことになります」

ここまではいいですかと尋ね、幸助がうなずいたことを確認し続きを話す。

「次は報酬についてです。報酬は依頼書に載っています。載っている報酬は、ギルドが仲介料として五パーセント引いたものとなっています。ですので依頼人が言っている額と違うからといって怒鳴り込んでくるようなことはしないでください。ただし差額が五パーセントを大きく超える場合は、職員に申し出てください。なおギルドを通さず受けた依頼については、仲介料を取ることはありません。当たり前ですね」

ところどころメモ帳を開いて述べていく。

「ギルドを通さないってことは、やましいところがあると白状しているようなものだから注意しとけ。まあ基準に達する報酬を出すことができずに、だめもとで頼んでくる場合もあるんだがな。対策としては怪しいと思ったら断ればいいってとこか」

ウィアーレの説明に、ボルドスが付け足す。

「はい。そのような依頼を受けた場合の責任は、冒険者自身にありますのでどのようなことが起きてもギルドが介入することは滅多にありません。ご注意ください。説明はこれで終わりとなります」

やり遂げたといった感じでウィアーレは背もたれに寄りかかる。

「これで終わり？」

「終わりだ。あとはこの嬢ちゃんに口止めするだけだ」

「はうあ!?　それがあったぁ～」

仕事に集中していて忘れていたのだ。ずるずると椅子から滑り落ちていく。今にも泣きそうな顔で力なく椅子にもたれかかっている。

「仕事が終わるのはいつだ？」

「あと一時間もすれば終わりますぅ」

「じゃあ、一時間ほどしたらセ・オリアスって喫茶店に。そこ知ってるか？」

「いきつけですぅ」

あまりの落ち込みように幸助は哀れに感じたが、黙っていてもらわないと自分が大変なことになるので諦めてもらう。秘密にすると約束してくれたら、なにかおごってあげようと決めた。


ギルドでの用事を終えた二人は暇潰しに街をぶらつく。

ついでにファードッグの角も売り払う。売却はボルドスが担当した。一度もこういった交渉の経験がないと言った幸助に手本として実演してみせたのだ。

少しでも安く買い取ろうとする商人と通常価格で売ろうとするボルドスの交渉は、ボルドスに軍配が上がった。

商人と顔見知りになればこういった交渉はしなくてもよくなる、というアドバイスとともにお金を幸助に渡す。

約束の時間まで三十分ほどあるが、することもないので先に喫茶店へと行くことに。

幸助はボルドスに読んでもらったメニューの中からオレンジのカスタードタルトを、ボルドスは甘いものはそれほど好まないようで、ハムタマゴサンドとコーヒーを注文した。

注文の品が届くまで幸助は、ボルドスにもう一度メニューを読んでもらい単語の勉強をしている。

あらかたメニューを覚えたところで、店員が注文の品を持ってきた。

しっとりとしたタルト生地に甘さ控えめのカスタード、そしてオレンジソースと薄切りオレンジがのせられている。タルトにかじりつくため口元に持っていくと、ふわりとリキュールの香りが漂った。

食べ終わって満足していた幸助は、ウィアーレがこちらに歩いてきていることに気づいた。手を上げてここだと示す。

7　初めての仕事

「約束通りきましたので、どうかお手柔らかに」

幸助とボルドスがいるところに来るなり、ウィアーレは深々と頭を下げる。

「どうなるかはお前さん次第だな」

「ここで話す？」

「いや、このどじ娘さんがうっかり口滑らすと大変だから別の場所で」

とりあえずは会計をすませる。そのときに幸助はシュークリームを一個買ってウィアーレに渡す。これで少しはテンション上げてくれればと思ったのだ。このまま話していると、いじめているような感じがすると思ったのだ。

「食べていいんですか？」

「そのために買ったからね。いらないなら俺が食べるけど」

「いえっいただきます！」

甘いものが精神的負担を和らげたのか、ウィアーレの表情から悲壮感が抜ける。食べ終わるとまた元に戻ったのだが。それでもいくらか気分が浮上したようでシュークリーム一個分の効果はあったようだ。

「これから向かう先は？」

「俺の使っている宿だ。コースケもそこに宿をとらせようと思う」

「お金大丈夫？」

「一般的な宿より少しランクが上なぶん金も少し高いが、設備と安全と清潔さは保証されている。そこでいいか？」

この街を拠点にしているボルドスに任せれば間違いはないだろうと、幸助はうなずいた。

三人が歩く先に歴史を感じさせるような古い建物が見えた。目的地の宿だ。

玄関をくぐるとボルドスの顔なじみの従業員がおかえりなさいと声をかけてくる。ボルドスはそれらに応えつつ受付に足を向ける。

「おかえりなさい」

「ああ、ただいま。こいつの部屋を頼めるか？　個室で」

「はいはい。空いていますよ。こちらに名前を記入して、宿泊日数分の代金を払ってください」

出された宿帳に幸助はたどたどしく名前を書いていく。書いたものをボルドスに確認してもらい、従業員に返す。

宿賃は十日分払う。もしかすると宿が合わず変えるかもしれないということと、のちのちお金が必要になるかもしれないからだ。

「そちらの方はどうされますか」

「わ、私ですか？」

「こいつは必要ない。ちょっと話があって一緒にいるだけだから」

「そうですか。ではこちらがお部屋の鍵です。浴場や食堂やその他の設備に関しての説明は必要でしょうか？」

「いや俺が説明しとく」

「わかりました。お客様が健やかに過ごせますよう従業員一同努力いたします。なにか問題がありましたらいつでも従業員にお申し付けください」

そう言って従業員は洗練された綺麗なおじぎをしてみせる。それに思わず幸助もよろしくお願いしますと頭を下げた。

そんな幸助に従業員は小さく笑みを漏らす。

「コースケの部屋に行くか」

どこになにがあるかの説明をしつつボルドスが先導し、幸助の部屋を目指す。

宿は三階建てで、二、三階が客室だ。一階は食堂などの設備でうまっている。地下もあるが、そっちは食料庫やワインセラーなので客が行くことはない。

三階の日当たりのいい部屋が一番値段の高い部屋で、一番安いのは二階の大部屋だ。長期滞在客は個室をとり、一泊など短期宿泊の客は大部屋をとることが多い。

幸助の部屋は二階の東側だ。ボルドスは三階の東。

部屋の中は一人には十分な広さになっている。家具は机と椅子とベッドとクローゼットのみだ。クローゼットの中には籠が入っていて、洗濯物をこの中に入れて従業員に渡せば洗ってくれるのだ。窓は木戸でガラスではない。格子がはまっていて出入りはできない。

荷物をクローゼットに入れ、剣を机に置いた幸助はベッドに座る。ボルドスは机によりかかった。ウィアーレは床に正座。そんなウィアーレの姿が自然に見え幸助は一瞬受け入れたが、おかしいだろうと突っ込む。

「なんで床に座るの!?」

「あ、いつも怒られるとき床に正座するんでつい」

そう言って立ち上がり、幸助の隣に座る。椅子だとボルドスに近くて怖いのだ。

「んじゃ話をするとしようかね。用件はすでに言った通り、黙ってろってことなんだが」

「どうして黙っていなきゃいけないのか、理由を聞いてみたかったりするんですが。だって竜殺しですよ!?　名乗り出ればすっごい有名になって、ちやほやされますよ？」

ウィアーレが恐る恐る問いかける。竜殺しという部分だけは興奮が隠しきれていない。

「お前さんの言いたいことはわかるが、利点だけじゃないだろう？　貴族とかのお偉いさんにいいように使われるって欠点もある。コースケにはちょいと事情があって、その事情から名乗り出ないほうがいいって判断したんだ。もしくは名乗り出るにしてもまだまだ早すぎる」

「はあ」

貴族の事情などには疎いウィアーレは生返事を返す。

そんなウィアーレにわかりやすいように、ボルドスは別の理由を話す。

「本人も名乗り出て目立つことを望んじゃいないんだ。人の嫌がることをしたいのかお前さんは？」

「いえ、したくないです。えっとあなたは本当にそれでいいんですか？」

隣に座る幸助に聞く。

「うん。世話になっている人たちからもアドバイスを受けてそれでいいって思ってる。だから黙ったままでいてくれるかな？　お願い」

ウィアーレは少しだけ考える様子を見せたが、すぐに結論は出たようだ。考えたのは拒否しようとしたからではなく、黙っている理由を納得するのに少し時間がかかったからだ。

「わかりました。誰にも言いません。世界神に誓って約束します」

弱弱しい言葉ながらも、しっかり幸助を見て約束する。

「ありがとう」

「よかったなコースケ。いやあ一時はどうなるかと」

「ちなみに、ちなみにですよ？　私が人に話すって言ってたらどのような対応に？」

遠慮がちに問いかけるウィアーレに、ボルドスの目に一瞬いたずらめいた光が宿る。

「とりあえず拉致してどこかの森に放り込み、木の上にでも縛りつけとくか。そのあとツテの権力でちょちょいっと小細工して、お前さんが急にいなくなったことを誤魔化す。お前さんは放置されて餓死かな。別の方法とるかもしれんが、この場で拉致は確実かな」

にこやかに述べるボルドスを見て、ウィアーレはひぃっと悲鳴を上げ、幸助の腕と肩を掴む。ウィアーレの髪が、ふわりと幸助の頬に触れる。異性にここまで近づかれるのは久しぶりのことで、幸助は緊張で身を硬くする。

ボルドスが本当にそれを実行したかはわからないが、脅しているのは確実だ。前準備もなしに誘拐など難しいだろうから、やはり脅しなのだろう。

「承諾してくれたんだから、怖がらせなくても」

「うっかり口を滑らせないように念を押しておいたほうがいいと思ってな。短期間でギルド職員だけじゃなく冒険者にまでどじだと知れ渡っているくらいだから、これくらいでちょうどいいさ」

思わず自分でも納得してしまったのか、ウィアーレはなにも言い返すことができない。

「そろそろ腕から手を離してくれない？　血が止まってるみたいで」

「あ、すみません！」

慌ててウィアーレが手を離すと、腕から先に温かいものが駆け巡る。

本来の話が終わり、幸助は疑問に思ったことを聞く。

「俺が竜殺しってわかったのはギフトのおかげだよね？　どんなギフトなのか聞いてもいい？」

「私のギフトは称号操作の2です。自分と他人の称号を何度でも変更可能なんですよ。他人の称号を変えるには称号が見えないといけませんから、それでコースケさんの称号がわかったんです」

ウィアーレのギフトは常時発動型ではなく、使用時に発動させるタイプだ。家にいるときは使っておらず、ギルドにいるときのみ発動させている。

「そのギフトを買われてギルドに雇われたんだな？」

「はい。私の主な仕事は称号の操作です」

称号は普通の人は一日一回のみ変更可能だ。それがウィアーレがいれば日に何度も変更可能になるちょっとした便利さにギルドは目をつけたのだ。サービスを充実させるための雇用なのだろう。

「話はこれで終わりですか？」

「俺はない。コースケはどうだ？」

「俺もないよ」

「でしたら私は帰ります。家族が待っていますから」

ベッドから立ち上がり扉へと向かう。

扉を開け振り返って一礼するウィアーレに、幸助が声をかける。

「明日からよろしく」

「え？　あ、そうですね。登録したから依頼受けるんですよね。はい、こちらこそよろしくお願いします」

もう一度頭を下げてウィアーレは去っていった。

「最初の依頼くらいは手伝おうか？」

「んー……いやいいよ。簡単なものを受けて慣れていくから。どれくらいの報酬が駆け出しの受けるものなの？」

「そうだな……駆け出し四人組で討伐系依頼で最大１６００ルト……銀貨四枚ってとこだ。これ以上は手に余るだろうな。一人で受けるのならこの半分くらいか？」

「じゃあそれ以下を目安に受けることにするよ」

「お前さんなら……いや慣れるためにはそのほうがいいか」

強さから駆け出しが受けるもの以上の依頼をこなせると考えたが、知識、経験ともに不足していることを思い出し反論を取り消す。

このあとはボルドスがいままでにどんな依頼を受け、どのように解決していったかを聞いて時間を潰した。ついでに荷物整理も手伝ってもらう。あまり使いそうにないものはクローゼットに置いたままにして、必要そうなものは机の上に出しておく。


やがて夕食の時間が来て食堂に移動する。

三食の料金が宿賃に含まれていること、頼めば弁当を作ってくれること、風呂は時間によって男女の順番が決められていることなど宿について聞きながら、夕食をすませた。

「このあとはどうする気だ？　俺は酒を飲みに行ってくるつもりだが」

「宿の周りを散歩してみるよ。行っちゃいけない場所とかある？」

「この宿周辺ならないな。北の倉庫街とそこの近くにある酒場は近寄らないほうがいい」

「わかった。ここらへんうろちょろしてるよ」

「それなら安全だ」

早速行ってくると言って、ボルドスは宿を出て行った。

幸助は宿の玄関ホールにあるソファーに座り、窓から見える人の流れをぼんやりと見ている。

日が落ちて暗くなった街を魔法の灯りが照らしている。暗闇をはねのけるような明るさは、日本の繁華街に勝るとも劣らない。あれがネオンの灯りではなく、魔法の灯りということにまだ不思議な感じがしていた。

「あの人はエルフかな？　あっちの人はなんだろ？」

道を歩く人たちを好奇心に満ちた目で見ている。

ホルンから聞いたように人間だけではなく、エルフやドワーフといった異種族もちらほらと見かける。一見魔物のようにしか見えない者も堂々と歩いていて、そういった人たちを見ているだけでも時間は潰せた。

「どなたか探されているんですか？」

「え？」

声をかけられ振り向くと、受付をしていた女が私服姿で立っていた。黒目に黒髪、肌の色も幸助と同じ黄色だが顔立ちは日本人とは違っている。短めのポニーテールが、動くたびにピョコピョコと揺れる。

「いや歩いている人たちを見てただけで、誰かを探してたわけじゃないんです」

「そうでしたか。それにしてはずいぶん熱心に外を見ていましたね？」

「あー……人間以外の種族を見るのって初めてで」

「ああ、それで」

「えっと仕事は大丈夫なんですか？」

「私に課せられた分は終わったので自由時間なんですよ。隣に座ってもいいですか？」

「……どうぞ」

互いに自己紹介をして、雑談が始まる。

実年齢に驚かれるのには慣れ始めた幸助だ。

名前はシディといって宿の一人娘。二十才になったばかりで、現在後継ぎの修業中とのこと。弟もいてどちらが宿を継ぐかは決まっていないらしい。

することがなく暇だったところ、同じように暇そうに見えた幸助と話してみようと思って声をかけたらしい。客に話を聞くことはよくやっているようだ。

この街とリッカートのみしか行ったことがなく、ほかの街の様子を知りたいといって幸助の住んでいた場所のことを聞く。それに幸助はどのように答えようか迷い、無難にのんびりとした田舎だと答えることにした。

それでもいいからとシディが聞いてくるので、幸助は故郷のことをこちら風にアレンジして話していく。幸助の故郷は特にこれといった特徴はなく、いくつかの果物が特産品というだけだ。そんな話でもシディは満足できたようだ。

そうしているうちに入浴時間が男の番になり、幸助はシディと別れた。

シディが話しかけたのは、窓の外を見る幸助の横顔がなんともいえず独特な表情をしていたから。

子供が物珍しげにしている様子に似ているが、少し違ったように感じた。それは流離《さすら》い人としての表情だった。

好奇心と客商売に役立つかもしれないという思いを抱いて、話しかけたのだ。

話を聞くうちに、感じた違和感は大きくなった。けれどもそれを追求することはなかった。商売柄、触れてはいけない場所が人にはあるとわかっているからだ。

疑問を表に出さず、シディは話を切り上げた。ちなみに会話に満足できたのは偽りではない。


風呂から上がった幸助はそのまま部屋に戻る。することがないのでこのまま眠ってしまおうかと思ったとき剣が目に入った。

「型の確認だけでもして寝ようかな」

さやつきのままベルトから外し、部屋を傷つけないようにゆっくりと型を繰り返していく。

そのうちファードッグの動きを思い出し、シャドーボクシングに近いことをし始める。

ラッツモンキーとの戦いは短時間で終わったので、動きはあまり見ておらずシャドーに使うには情報不足だったのだ。

軽めに行うはずだった確認は集中してしまい、軽めとはいえなくなっている。そのことに気づかずゆっくりと小さく動いていく。

三十分ほど続けた頃、剣が壁に当たり我に返った。

「軽めのはずが……まあいいや。あ!? 壁に傷は……入ってないね、よかった」

傷の有無を確認し、安堵《あんど》のため息をついて剣を壁に立てかける。

することがなくなった幸助は眠ることに決め、自分に眠りの魔法をかけてあっさりと眠りについた。

翌朝、早めに寝たおかげで六時前に目が覚める。通訳魔法を使ってから顔を洗いに一階の水場に向かうと、既に起きて掃き掃除をしているシディと出会う。

「おはよう」

「おはよ。早起きだね？」

昨日の会話のおかげか砕けた話し方となっている。

「九時ごろに寝たから早めに目が覚めたんだ」

「いつもそれくらいに寝てるの？」

「いんや、することがなかったから、その時間に寝ただけ」

「そっか。朝食の準備はまだだから、部屋でのんびりするなり身支度を整えるなりしてきたら？」

「顔を洗ったらそうするよ」

掃除に戻るシディの横で、顔を洗い目が完全に覚めた幸助はシディに一声かけて部屋に戻る。

手ぐしで髪を整え、服をきちんと着込み、剣を帯び、荷物整理で軽くなったリュックを手に持つ。

準備を終えた幸助は、部屋を出て鍵を閉める。まだ朝食まで時間はあるが、部屋にいるのも暇なので食堂で待つことにしたのだ。

四十人ほどがゆったりと座ることができそうな食堂は、今は広々とすいている。店員以外には二人だけ座っている。その二人はテーブルに突っ伏して寝ているらしい。

適当に座りぼんやりしていると、朝食ができたことを知らせるベルが鳴る。寝ていた二人はそれで起き、ぐっと背筋を伸ばして眠気を払う。そして朝食を受け取るため動き出す。幸助も同じようにカウンターに向かう。

「あのー弁当用意してもらっていいですか？」

「あいよ。内容は勝手にこっちで決めるけどいいか？　といっても大抵サンドイッチと果物なんだがな」

「お願いします」

「食器を返すときにもう一度声をかけてくれ、そのときに渡すから」

「わかりました」

受け取った朝食を持ってテーブルに戻る。今日のメニューは魚のムニエル、食パン二枚、ゆで卵、リンゴ四分の一だ。食パンは三枚まで無料で追加できる。ジャムとバターはカウンター近くに置かれていた。パンにマーマレードを塗り、食べ始める。

幸助が食べている間にほかの二人は食べ終わり、食堂を出て行った。入れ替わりに少しずつ宿泊客が食堂に入ってくる。冒険者や商人が多く、一般の旅行者は少なかった。

彼らの話を聞きながら食事を食べ終え、食器を片づける。籐《とう》製のバスケットを受け取り、食堂から出る。

「準備を整えてるってことは、もう出るのかな？」

受付にいるシディが声をかけてくる。

「うん。今日が初仕事。まあ、ちょうどいい依頼がなかったら、なにもせずに帰ってくるんだろうけど」

「そっかそっか。頑張ってらっしゃい」

「いってきます」

「はい。いってらっしゃいませ」

従業員としての顔に戻ったシディは一礼し幸助を見送る。

シディの声を背に幸助は宿を出た。

ギルドまでの道をゆっくり歩く。昨日と同じように道行く人を見ているのだ。国際色豊かというのか、様々な種族があちこちに見える。彼らは定住している者は少ないようで、ほとんどの者が旅装束だ。

映画や漫画などにしか出てこないような姿の者たちを近くにして、幸助の目が好奇心に満ちるのも無理はないだろう。

そんな幸助は周囲から見ると、田舎から出てきたばかりのおのぼりさんといったふうに見えていた。


ギルドに到着し、依頼を確認できる区画に向かう。ウィアーレはまだ来ていないのか、見つけることはできなかった。

ギルドが行っている依頼紹介は大きく三つにわけられる。大きな仕事の依頼紙はバインダーに保管されている。次に冒険者たちが日常的に受ける依頼紙は、ついたてに張り出されている。報酬額と仕事の種類による仕分けもきちんとされている。最後に冒険者でなくとも行えそうな雑事系の依頼紙は壁に大雑把にはられている。

今も冒険者たちの多くはついたてを見ている。バインダーを開いている者もいるが、どのようなものがあるのか確認しているだけで受ける気はなさそうだ。

「さあてどんなのがあるのかな」

いよいよ冒険者として一歩を踏み出すのだと、緊張と興奮と不安をごちゃ混ぜにして頑張ろうとうなずく。

幸助もほかの冒険者たちと同じようについたてを見る。

「……おう」

そしてすぐに問題が発生した。

「文字読めねぇ」

ボルドスについてきてもらうんだったと頭を抱える。

うっかり文字を読めないことを忘れていたのだ。昨日習得した文字というか単語は、喫茶店などでしか役に立たない。かろうじて報酬だけはわかる。けれどもそれだけわかっても意味がない。知識を必要とされる依頼とわからずに受けてしまうかもしれないからだ。

誰かに聞くしかないと考え周囲を見渡したとき、タイミングよく出勤してきたウィアーレを見つけることができた。

「おはよう、そして助けて！」

地獄に仏とはこのことだと、駆け寄る。

「い、いきなりなんですか？」

「依頼を探そうとしたんだけどさ、文字読めなくて」

「あーなるほど。わかりました。先輩に出勤してきたことを知らせてきますから、ちょっと待っててください」

「ほんとに助かる」

ウィアーレはどこか嬉しそうに職員の部屋へと向かう。いつもどじばかりで頼られることがすごく少ないので、頼られることが嬉しいのだ。上機嫌に挨拶をしたウィアーレを職員は不思議そうな顔で見ていた。

すぐに戻ってきたウィアーレと一緒についたてを見ていく。

「どんな依頼が受けたいですか？」

「一人でも受けることができて、安全なもの。初めての仕事だから簡単なものがいい」

「……強いのに」

即答した幸助を見る視線の温度が下がる。

「昨日も言ったように事情があって、片手で数えられるほどしか戦闘経験ってないんだ」

「それでよくりゅ……じゃなかったその称号を」

「……今」

今度は幸助がジト目となりウィアーレを見る。

「ちょっと危なかったです」

両手で口を塞いで誤魔化し笑う様子は可愛かったが、幸助は可愛いと感じるよりも本当にどじなのだなぁと苦笑を浮かべている。この先大丈夫なのかと思わせられた。

「とにかく依頼そのものに慣れるためにも簡単なものを紹介してもらいたい」

「わかりました」

　ウィアーレは条件を考慮しついたての中で一番報酬の安い列を見て、その中の　枚を指差す。

「これなんかどうでしょう？　近くの森で指定された草を取ってくるというものですが」

「近くの森ってどこ？」

「ここから南東に三十分ほど歩いた森ですね。コノツネ、ハバカロ、トートリネという三つの草を二十ずつ取ってきてもらいたいそうです。報酬は４００ルト、銀貨一枚です」

「よさげだけど、トートリネっていう草を俺は知らなくて。ここでサンプル見ることできる？」

　コノツネとハバカロはホルンと勉強していたときに教えてもらったのだ。この二つは条件さえ整えばいつでもどこでも取れる。南東の森はその条件が整っているのだろう。

「はい。植物図鑑がありますから。この依頼を受けますか？」

「お願い」

　薬草採取なら危険はないだろうとうなずく。街の外に出るのだから魔物と遭遇する可能性があるのだということは、すっかり忘れている。日本では山に入っても危険な動物に遭遇することはまれだ。そういった日本での生活を元にした認識が、まだまだ幸助の中にあるのだ。

ホルンと野宿したときに襲われることがなかったことも忘れた一因か。

「ではこちらへどうぞ」

カウンターに連れて行かれ、依頼を請け負う手続きをとる。

「図鑑とってきますね」

ウィアーレは近くにいた先輩職員に図鑑の場所を聞き、持ってカウンターに戻ってくる。取ってきた本は現代の日本では普通に見られるものではなく、和装本のように背を糸でつづったものだった。文字は印刷されたように綺麗で、絵も色がついている。手書きでも活版印刷でも機械を使った印刷でもなく、魔法印刷と呼べる方法で書かれていた。ギルドにある本は保存用の魔法がかけられているので、手あかで汚れていたり虫食いがあったりもしない。

「えっとトートリネですねー……ありました」

ウィアーレは、索引からトートリネのページを見つけて開き、幸助に差し出した。

文章は読めないので、描かれた葉の形や生えやすい場所を覚えていく。文章部分も念のため読んでもらい、コノツネとハバカロも見せてもらった。

「うん、覚えた。じゃ行ってくるよ」

「はい、お気をつけて」

ウィアーレに見送られて、幸助はギルドを出て、街を出る。

教えられた通りに南東へ三十分弱。道中なにごともなく目的地へと到着した。空は晴れ、気温も暖かく散歩にはいい日和だ。遠くから聞こえてくる鳥の鳴き声に幸助の気分は上昇していった。

「さっそく探しますか」

森の手前で虫よけの魔法を使い、中へと入る。小さな虫でも刺されたら病気の元となるので、森や草原に入る際は虫よけの魔法か道具を使うようにと、ベラッセンに着くまでにボルドスに教えてもらったのだ。

聞いた話では、日本でやぶに入るよりも注意する必要があると思え、魔法使用は絶対忘れないよう心に刻んだのだった。

目的の草が生えている場所の特徴を思い出しながら探す。コノツネは灯りを嫌い風通しのいい木陰に生え、ハバカロは落ち葉に隠れるように腐葉土に生え、トートリネは小川の水流の中に生える。

始めに木陰を見ていき、茅《かや》に似た草を見つけた。これがコノツネだ。大抵三本はまとまって生えているので、必要数はあっさり集まる。根っこの土を払い、集めたコノツネを紐でまとめる。

周囲に小川はないので次はハバカロを探す。足で枯れ葉と土を払っていくと、地をはうように生えている肉厚の葉を持つ草ハバカロが顔を出した。こちらはコノツネよりも収集に時間がかかる。

最後にトートリネを採取するために小川を探す。

「聴力も上がってるかな？」

耳を澄まして小川のせせらぎでも聞こえないかと試してみる。

木の葉の擦れる音、虫などの鳴き声、獣かなにかが移動する音が聞こえ、背後からなにか近づいてくる音が聞こえた。

振り返って十秒後、ラッツモンキーが四匹現れる。

「魔物が出んの!?　考えてみれば草原にも当たり前のように魔物はいたっけ！　森にいてもなにもおかしくはないんだ」

ラッツモンキーを殺した感触や匂いを思い出し、顔がゆがむ。なんとか戦いを避けられないかという迷いを察したのだろう、ラッツモンキーたちは一斉に襲いかかってきた。

数は増えてもボルドスには及ばない動きなので、余裕を持ってよけることができる。

「……やるか」

襲われたことで踏ん切りがついた幸助は剣を抜く。剣を持つ手が震える。恐怖からではない。まだまだ心に残る拒否感からだ。

刃先を向けられたことに、ラッツモンキーたちはわずかに戸惑いを見せるが、襲うことはやめない。

一番早く近くまで飛びかかってきたラッツモンキーの胴めがけて剣を振るう。当たる瞬間に目を閉じてしまうが、ボルドスとの練習の成果は見事に出て一刀両断。血が舞い、わずかに幸助の体に付着する。

仲間の血に濡れた幸助に恐れをなしたか、力の差をはっきりと理解したか、ラッツモンキーたちの動きは止まる。

「もう来るな！」

幸助が脅すように剣を真横に振るい怒鳴る。その声に押されるようにラッツモンキーたちは後ずさり逃げていった。同時に周囲からなにかの気配が離れていくような感じがした。第六感的な曖昧な感覚なので、幸助ははっきりと断言できない。

しかしこの一戦でなんとなくだが理解した。

「強気でいれば襲われることもないのか？」

獣や魔物は弱肉強食の世界に住み、人などよりもはるかに危険を察知する感覚に優れている。戦いを避けたいのなら強気でいるか殺す気があると見せかけるほうがいい。そうすれば死にたくない獣や魔物は近づかない。

好戦的な魔物は殺気に当てられるとむしろ襲いかかってくるだろうが、そのような魔物は人間の住む場所の近くにまずいない。騎士や兵によって倒されるか追い払われるからだ。

剣についた血を振るって払い、布で残った血を拭ってから、小川を求めて歩き出す。

さきほどの一戦で幸助の強さを知った魔物や獣たちは一切姿を見せない。息すら潜め隠れているようで、森のざわめきが減った。

それがわかった幸助は、これ以上肉と骨を断つ感触や血の匂いを嗅がずに済むと安堵《あんど》の思いが心に広がる。

気分が落ち着いたおかげか、移動したおかげか、幸助は小川のせせらぎを聞き取る。

見つけた小川に入ると、水の流れにトートリネが揺れていた。必要分集めていき、依頼された草の収集は達成された。

なんとなく心の中で依頼達成のファンファーレを鳴らしてみたりする。恥ずかしくなって顔が赤く染まった。

「んっん、これで終わりか。あの太陽の位置だとちょうど昼くらいだろうし、休憩ついでに昼ご飯食べてから帰ろっかな」

一度せき払いしてから周囲を見渡し、座るのにちょうどいい岩を見つけ、バスケットと水筒を出し食べ始める。

水の流れる音や木の葉の擦れる音に和み、ちょっとしたピクニック気分を味わい、昼食を終える。

「ごちそうさまっと。帰ろっかね」

目的を果たし、森を抜ける。

ギルドに帰り着いたときは一時手前だった。

「ウィアーレはいるかな」

ギルド内を見渡しても見当たらないので、昼を食べに行っているのだろうと判断した。

「すいません。草収集の依頼を受けて、取ってきたんですけど」

「はい。依頼ナンバーは何番でしたか？」

「334番です」

「少々お待ちください」

職員は手元のファイルを開き、依頼を確認する。

「コノツネとハバカロとトートリネの収集ですね。集めてきたものを出してもらえますか」

「どうぞ」

小袋に入れていた草を三束、職員に渡す。

「少々お待ちください」

職員は薬草図鑑で三つの草を確認していく。

「間違いなく依頼したものですね。ただ依頼よりも本数が多いですね。ご自分用に採取されたのでは？　お返ししましょう」

「いえ、二十本目の近くに生えてたんでついでに取ってきただけで、依頼人にまとめて渡してください」

多いといってもコノツネ三本、トートリネ一本だけだ。

「そうですか。わかりました。ではこちらが報酬となります。銀貨一枚４００ルト、ご確認ください」

渡された銀貨を財布代わりの小袋に入れる。

「これで依頼完了となります。依頼達成お疲れ様でした」

職員の言葉と報酬をもらい、幸助は達成感を感じた。心がドキドキと弾み、嬉しくなる。

バイトや仕事で初めて給料をもらったときのように、報酬の銀貨一枚は特別に思えた。

「聞きたいことあるんですけどいいですか？」

弾みそうになる声を抑えて、頭を下げる職員に声をかける。

「私でわかることでしたら」

「文字を覚えるために本を買いたいんですけど、大体いくら必要になるかわかります？」

「本ですか。そうですね……この図鑑は銀貨三枚でした」

「たかっ!?」

魔法で製本の過程を高速・簡略化できるので、昔の地球のようにすべて手書きというわけではない。その分、値段は下がるが、一冊ずつ手作りではあるので割高となるのだ。

「これは情報量の多さと保存用に魔法がかかっていますからね。文字学習用となると値段は低くなるでしょう。おそらく高くても銅貨十枚といったところではないでしょうか」

「ありがとうございます。ついでに本屋の位置を教えてもらえませんか?」

最初の給料で買う物は本で決定だ。

「たしか商店街の南にあったと……」

「ありがとうございます」

再び礼を言ってギルドを出る。

教えてもらったあたりの店を外から覗いていき、三軒目で発見できた。

店員に買いたいものを伝え、お勧めの本二冊を買う。手に入れた銀貨を店員に渡すとき、幸助は少し誇らしげにしていた。

「おかえりなさい」

「ただいまです」

宿に戻ると受付をしているシディが幸助を出迎える。

「どうだった？」

「街の外に草集めに行ってきた。その稼ぎで文字学習用に本を二冊買ってきた。これから勉強」

「文字読めなかったんだ？」

「うん」

「うちにも何冊かあるから、ある程度読めるようになったら使う？」

買ったのではなく宿泊客がときたま忘れていくのだ。それが四冊たまっている。

「いいの？」

「私もほかの皆も読み終わってるからかまわないわ」

「じゃあ、後日借りる」

「声をかけてくれたら、いつでもとってくるから」

わかったと答え、幸助は部屋に戻る。

ベッドに座り、最初は名詞が中心の本を開く。リンゴや馬などいろいろな絵の下に文字が書かれている。一ページに六つの単語が載っていて、百ページほどある。その文字をひたすら頭に叩き込んでいく。集中すれば、どんどん頭の中に入っていき二時間で全て覚えることができた。書くときはつっかえるかもしれないが、読むだけならば完璧だ。

「きゅ、休憩しよ」

二時間の集中に疲れた幸助は部屋から出て、一階に下りる。

食堂にバスケットを返すついでにジュースを頼み、のんびりと飲む。

二十分ほど休憩し、体を動かすために宿の洗濯干し場に向かう。そこで今日のラッツモンキーたちの動きを思い出し、シャドーをした。今日はぶつけることを気にしないでいいので、思いっきり振ることができた。

十五分シャドーをしたあと、素振りをして、それも終えた幸助は部屋に戻る。草の収集と修練で汗が出たので、風呂に入ろうと思ったのだ。

風呂を上がり、夕食も終えて、勉強を再開する。今度は、簡単な物語形式で誰がどこでなにをどうした、ということが絵で示された本を読む。生物や動きや場所など対応する絵と単語に矢印がついている。

読み進めていくうちに文法は英語に近いと気づくことができたが、今は文法にまで気が回せない。書くことは後回しにして、とりあえず読むことができるように勉強していく。

読み終えたのは十一時過ぎだ。

本を机に置いて、寝る準備を始め、ベッドにもぐりこむ。

こうして幸助の街生活二日目は終わった。

8　冒険出ずになんでも屋

次の日は六時前に目が覚めるようなことはなく、七時を過ぎて起き出した。

昨日と同じように身支度を整え、食堂へと向かう。ちょうど混む時間帯なのか、食堂には昨日と比較にならないほど人が入っている。

空いている席を見つけ、確保しておく。今日のメニューはパン、チーズ、トマトサラダ、コーンポタージュ、オレンジ半分。弁当も忘れずに頼んでおく。

周囲の話を聞きながら、のんびり食べる。聞こえてきた話によって、昨日から会っていないボルドスが四日かけてなにかのタマゴを取ってくる依頼を受けたらしいとわかった。

ご飯を食べ終わりバスケットを受け取った幸助はギルドへと向かう。

昨日の勉強で少しは読めるようになった依頼紙を眺めていく。ほかの冒険者の邪魔にならないようにと考え、見ているのは雑事系だ。

「これは……家、岩、動かす。家にある岩を動かすでいいのかな？　報酬は200ルトか。これ受けよ。番号は……って書いてない？　はぎとって持っていってもいいよね」

あとで張りなおせばいいと考え、幸助は依頼紙を持ってカウンターに向かう。

「これを受けたいんですけど」

「……これは雑事系の依頼ですがよろしいですか？」

「庭にある岩を動かすって依頼ですよね？　それであってるなら」

「はい、あっています。ではこの紙を持って、依頼主の家まで行ってください」

「手続きはないんですか？　昨日はしたんですけど」

「雑事系の依頼を受けるのは初めてですか？」

　幸助はうなずく。

「雑事系の依頼にはたいした手続きはありません。職員に一声かけて依頼主の元へ行き、この紙と依頼主が持っている完了証明紙の二つを持ってギルドに戻ってくる。これだけで雑事系の依頼は完了となります。注意することは、この紙か証明紙どちらかをなくした場合、依頼を完了したとしても報酬はでないということです」

「ありがとうございます。ついでにどこに行けばいいのか教えてもらいたいんですが？　文字を習得途中で住所は読めなかったんです」

「かまいませんよ、えっと……」

　職員に住所と依頼主の名前を教えてもらい幸助はギルドを出た。

　道行く人に方向があっているか尋ねながら、到着した先は周囲の家よりも大きめの家だった。

呼び鈴を探し、ないことを確認してから、門を開ける。ドアをノックして少し待つと、ドアの向こうから足音が聞こえてきた。

「どちらさんですかな？」

六十才ほどの男がドアを開け、尋ねてくる。その男に幸助は依頼紙を見せる。

「ギルドで依頼を受けた者ですが、岩を動かすという依頼をしたのはあなたですよね？」

「おおっ！　受けてもらえたのか。早速、やってもらおうかな。お仲間を呼んでくるといい。わしはここで待っとるからな」

「仲間？　俺一人ですよ？」

「一人!?　いや一人じゃ無理だろう。悪いことは言わん、誰か知り合いを連れてきなされ」

「大丈夫だと思うんですが？　これでも力はあるほうなんです」

男は幸助の体を見て、疑わしそうな目つきになる。幸助の体は筋肉がついているどころか、ほっそりとしていて力仕事に向いているようには見えない。

「とても力がありそうには見えんがのう」

「まあ、一度挑戦して無理だったら知り合い連れてきますから、試させてください」

一度挑戦すれば諦めるだろうと考え、男は幸助を案内することに決めた。

「庭はこっちじゃよ」

案内された庭は、学校の教室二つ分より少し広いといった感じだ。一般市民が住む家としては破格の広さだろう。

庭の右側に二つの岩がある。うち一つは下のほうが土に埋まっているようだ。埋まっているほうの大きさは四人で手をつないでようやく囲めるくらいか。

「あれをここまで移動してほしいんじゃよ。どうだ。無理だろう？」

「とりあえず挑戦してみます」

埋まっている岩を指差し、言外に諦めろと匂わすような男の表情に、幸助は笑みを浮かべる。実物を見ても運べないとは思えなかったのだ。

岩の前まで移動し、ふと思う。

「砕いて運ぶって方法があるんじゃ？」

そのことを男に聞くと、岩がとても硬くて砕くことができなかったのだと答えが返ってきた。ただの岩なのに、明らかに鉄を超える硬さで不思議だと男は言う。

異世界にはそんな岩もあるのだなとつぶやき、岩を抱きかかえるように掴む。そのまま力を入れる。

男の呆れたような表情が徐々に驚きへと変わっていく。

少しずつ岩が土の中から引き抜かれているからだ。力を入れる過程で、幸助の指は岩に食い込んでいる。

「だっしゃーっ！」

「おおっ!?」

気合の入った掛け声と一緒に岩は引っこ抜かれた。

抜かれた岩を見ると全体の三分の一が埋まっていたことがわかる。

幸助は今まで持ったものの中で一番重いと感じていたが、それでもまだ余裕もあった。

危なげなく指定された位置まで運んだ。

「もう一つの岩はどうするんですか？」

「あ？　ああっ！　あああっちも頼む」

心底驚いたという表情の男に次の指示を聞く。

もう一つの岩は引き抜いたものより小さく、楽に運ぶことができた。

「本当に一人で運ぶとは思いもよらなんだわ！　しかももっと時間がかかると思っておったんじゃがなぁ」

「力には自信があるって言ったでしょ？」

得意げに胸を張る幸助を、感心した様子で男は見る。

「自信がある程度ではすまされん気もするがな。まあいいわい。ありがとうよ、本当に助かった。これで庭に離れを作ることができる」

ありがとうという言葉に嬉しさを感じつつ、完了証明紙のことを告げる。

「うむ、待っとれ」

男は家屋に入り、証明紙とクッキーの詰め合わせを持って出てきた。

「この菓子はすごいものを見せてもらった礼じゃ」

「いいんですか？」

「かまわんよ。もらいものの一つじゃ。ほかにもまだまだ残っとる」

「じゃあ、ありがたくもらいます」

礼を言って、証明紙とクッキーを受け取る。

「ところでお前さん、このあと暇か？」

「ギルドに戻るだけで、時間は余ってますけど？」

「そうかそうか。実は右隣のばあさんがな、部屋の模様替えをしたがっとるんじゃ。その手伝いをしてやってくれんか？　もちろん報酬は出る」

「いいですよ。岩運ぶよりも軽いでしょうし」

まだ十時にもなっていない。このまま帰っても暇を持て余すだけだろうと思い引き受けた。

「じゃあ付いてきてくれ」

男の案内で隣の家に向かう。

出てきた老婆に男が事情を説明し、幸助は家に上がらせてもらった。

老婆の指示通りに動き、タンスなどを移動させていく。岩よりも断然軽いが、ぶつけないように気を使ったのでこちらの作業のほうが大変だったのかもしれない。

こちらの作業も一時間もせず終わる。

「ありがとう。これはお礼よ」

そう言って老婆は銅貨三枚をくれた。それをポケットにしまう。

「また頼むかもしれないね」

「俺がこの街にいるときなら引き受けますよ」

名前と泊まっている宿を教える。

「あなたみたいな冒険者もいるのねぇ。冒険者といったら乱暴者で、このような依頼なんか受けないって思っていたわ」

「わしもギルドの職員に引き受ける者がいない可能性があると言われておった」

「俺は外に出るのをめんどくさがったから雑事系依頼を引き受けたんですよ」

ここらに出る魔物に勝てることはわかっているが、積極的に戦いたいとは思っていないのだ。

「俺は帰りますね」

「今日は助かったよ」

「気をつけて帰るんだよ」

二人の依頼人に見送られ幸助はギルドへと戻る。

依頼紙と完了証明紙を受付に渡し、銅貨五枚を受け取る。

弁当を食べたあと、朝の依頼と似たようなものを探すため雑事系依頼を見ていく。似たようなものならば、もう一回こなす時間があると考えたのだ。

そして使わなくなった家具を廃材置き場へと運ぶ依頼を見つけた。

受付に内容の確認をしてから、幸助は三回目の依頼へと出かけていった。

向かった先でも、一人では運べないのではと疑問を持たれたが、実際に持ち運んで大丈夫だと証明してみせた。

この依頼にかかった時間が一番長い。持ち運びの移動で時間をくい、終わらせるのに二時間近くかかったのだ。

それでもたいして疲れることはなかった。この仕事で銅貨五枚をもらい、今日の仕事はこれで終わりとした。

今日したことを振り返ると、冒険者というよりは日雇いのバイトといったほうが適切だ。


「おかえりなさい」

「ただいま」

「ちょ、ちょっと待って」

挨拶をかわして自室に戻ろうとした幸助をシディが呼び止める。シディの視線は幸助の持っているクッキーに釘付けだ。

なぜ呼び止められたのかわからず幸助は首をかしげている。

「そのクッキーって」

「これ？　これは依頼をこなしたことの追加報酬みたいなものだよ」

「今リッカートで一番の人気を誇る店のクッキーなのよ！」

「そなの？　いいものもらったのかな」

もらったクッキーをしげしげと見る。

「すごくいいものなの！　三週間の予約待ちでなかなか手に入らないって噂よ！」

「予約待ちまで。ちょっと食べるのが楽しみになってきた」

シディはなにも言わずじぃっと幸助を見ている。

目は口ほどにものを言うということを幸助は今すごく実感している。

「……一緒に食べる？」

「いいの!?」

「どうせ一人では食べきれないから」

「じゃあこっちにおいでよ。休憩所で一緒に食べよう。お茶の準備してくる！」

シディは、うきうきとした表情で受付から食堂へと走っていく。それほどまでに一度食べてみたかったのだろう。

「受付誰もいなくなったんだけど、いいのか？」

浮かれていたシディだがその辺は抜かりはないようで、食堂に行く途中で受付のことをほかの従業員に頼んでいた。

ティーポットとカップを持ったシディが、いまだ受付前にいる幸助を呼びにくる。

二人はフロントそばにある扉を開いて食堂に入る。

シディは皿にクッキーをのせていく。マーブル、チョコチップ、ナッツ、キャラメルコーティング、ジャムのせなどなど計八種類のクッキーが並ぶ。

一つつまんで口に入れ、とても幸せそうな顔をしているシディを見て、幸助はあげてよかったかなと思えた。

クッキーをある程度つまんで、幸助はシディに頼みごとをする。

「本？」

「うん。見せてくれるって言ってたっしょ？」

「いいけど、買った本は？」

「あれは読んだ」

「そうなんだ!?　早いね～。いいよ、とってくる」

シディは自身が初めて文字の勉強をしたときのことを思い出し、学習速度の違いに驚いた。

すぐに戻ってきたシディの手には一冊の本がある。

「これ観光の本なんだよ。ここらへんじゃなくて、隣の国のことを書いてるんだけどね」

「ここで見てもいい？　わからんとこ聞きたいし」

「いいよ。でもあと十五分で休憩終わるからね？」

幸助は本を開いて、流し読みをした。幸助の語彙力では読み解くにはまだまだ難しく、わからないところをシディに聞いていく。

「東にある国でいいのかな？」

「そう。国名はフィオーネって書かれているのよ」

「こ、う、ざ、ん。鉱山か。宝石の絵が描かれてるってことは、宝石の鉱山ってことなのかな」

「うん。採掘量は銅とオーバステラが一番なんだよ。宝石は小粒なトパーズ原石が採れるんだってさ」

「オーバステラって金属は初めて聞いたな」

「黒い金属で少し柔らかいけど衝撃には強いって聞いたことある。叩かれるとへこみはするけど、割れたり欠けたりはしにくいんだってさ」

「へーそんな金属が」

そんなことを話しているうちにシディの休憩時間が終わり、クッキーの礼を言って仕事に戻っていった。幸助は借りた本を持って自室に戻る。名詞でつまずきながらも、前後の文章で推測しながら進めていった。


次の日もギルドへ行き、雑事系依頼を眺めた。

見つけた倉庫解体の仕事を受付に持っていく。

「あ、ウィアーレおはよう」

「おはようございます。コースケさん」

「この依頼受けてくるよ」

依頼紙をウィアーレに見せる。

「これ雑事系ですよ？　いいんですか？」

「うん。昨日も雑事系をこなしたんだ。安全でいいよね雑事系」

「昨日もやってたんですねぇ。まあ、本人がそれでいいならいいんですけど。あ、そうだ」

幸助が雑事系を引き受けると知って、ウィアーレはなにかを思いつく。

「その依頼が終わったあとでいいので、私の依頼を受けてもらえませんか？」

「内容聞いて、できると判断したらね。あと報酬ももらうよ？」

「わかっています。では依頼を頑張ってください」

「了解、いってきます」

ウィアーレに見送られ幸助は依頼者のもとへと出発する。

依頼紙に書かれていた住所は事務所で、幸助はそこから依頼人と一緒に倉庫へと移動する。

目的地には四つの倉庫があり、その中の二つを壊すのだ。四つとも老朽化しているのだが、いっきに四つ壊すと中の品物の置き場がない。よって今回は中身を移し空っぽにした二つを壊す。あとの二つは新築する倉庫に品物を移したあと、再び依頼を出すつもりだ。

依頼者の職場も人数が揃っていて解体はできるのだが、ほかの仕事で忙しくこちらには手が出せない状態なので冒険者に依頼を出したらしい。

例によって幸助一人だけなのを心配されたのだが、重いハンマーを二刀流にして実際に壊し始めた様子を見て納得したのか依頼者は帰っていった。

できるだけ破片は小さくしてくれという注文を実行し、作業を終えたのは午後一時前だった。

その場で弁当を食べてから、事務所に戻り終わったことを告げる。予定よりも早く終わったことに依頼者は驚き、一緒に現場に向かい依頼達成を確認してもらう。

「ただいま。はい、依頼紙と完了証明紙」

「お疲れ様です。えっと……報酬の銀貨四枚です」

幸助は受け取った銀貨を内ポケットにしまう。

「ウィアーレの依頼はこれから？　その前に内容聞かないといけないんだけどさ」

「してもらいたいことは屋根の修理です」

「修理って俺大工じゃないから無理なんじゃ？」

「本職のように完全に直してもらわなくてもいいんです。応急処置で大丈夫です」

「それなら俺に頼まなくても自分たちでできそうじゃない？」

「いえ私の身近な人で屋根に上がって大丈夫そうな人はいないんですよ。私が上がろうとすると止められますし」

「あー、どじって話だし、落ちると思われてるんだろねぇ」

おそらくとウィアーレはうなずいた。

どじということもあるが、ウィアーレが命綱などの安全措置をとらずに上がろうとするので周囲は必死に止めたのだ。やる気があるのは嬉しいのだが、もう少し注意深くなってほしいと思われている。

「素人修理でいいなら引き受けるよ」

「では明日でいいですか？　今日の依頼もっと時間かかると思ってたんでこっちの準備が

終わってないんです。明日の午後早退か、長めの休憩もらえるように先輩に交渉しないと」

「了解、明日の昼頃ここにくればいいんだね？」

「はい、お願いします」

「今日はこれで帰るわ、バイバイ」

「また明日」

　宿に帰ってからは、昨日と変わらず文字の勉強をして過ごした。

　翌日の午後、約束通り幸助はギルドにやってきた。腰に剣をさげることも、剣の重さにも違和感を感じなくなっている。魔物を殺すことはそれらと同じように慣れたとはいえないが。

　ギルドの喫茶スペースでウィアーレを見つけ近づく。

「来たよ」

「あ、こんにちは」

　ウィアーレから昼食を食べたかと聞かれ、幸助はうなずく。それならばさっそく出発しましょうと二人はギルドを出る。

　歩きながらウィアーレに現在地の住所を聞き、地理を覚えていく。

到着した先はアパートような建物で、庭では六人ほどの子供がはしゃぎまわっている。

「ここの屋根を修理してもらいたいんです」

「なんというかあちこちボロボロだね」

「あまりお金ありませんから。ここを出て行った人たちの仕送りで暮らしていくことはできますが、修理にお金を回す余裕はないんですよ」

敷地内に入ると子供たちがウィアーレの周りに集まってくる。

その騒ぎに気づいたのか、建物内にいた大人も外に出てくる。

「ウィアーレ？　まだ勤務時間じゃないのか？」

「ただいまお父さん。先輩に長めの休憩時間もらって、この人を案内してきたんだよ」

六十くらいの老人が二人に近づいてくる。足を悪くしているのか杖を使っている。

「こちらはどなただい？」

「屋根修理のために雇った冒険者だよ」

仕事中のため、恋人かとはやし立ててくる子供たちを相手せず、幸助を紹介する。

老人は幸助を見て頭を下げる。子供たちは幸助が冒険者と知って静かになり、少し距離を置く。

「そうでしたか。はじめまして、この孤児院の院長のウェーイと申します」

「屋根修理を請け負ったコースケ・ワタセと言います」

ウェーイへと頭を下げる。

それを見てウェーイは少しだけ驚いたような表情をした。

「なにか驚くようなことありましたか？」

「いえいえ、ただ冒険者にしては礼儀正しいなと思いまして。全員とはいいませんが冒険者に荒くれ者が多いのも事実でして、依頼者に頭下げるような者は少数なのですよ。私も若い頃は冒険者をやってましてね、荒くれ者側でした」

ウェーイが恥ずかしそうに笑う。

子供たちが静かになり離れたのも、幸助を荒くれ者側だと思ったからだろう。

ウェーイが経験者として話して聞かせたことがあるので、冒険者の中には粗暴で女子供関係なく手を上げる者がいると知っているのだ。

「そうなんですか。俺は冒険者になって一ヶ月もたってませんし、染まってないだけかもですよ？」

「そうかもしれませんが、私は最初から生意気でしたよ。おかげで依頼者との交渉がこじれることも少なくありませんでした」

「じゃあこれからもこの姿勢は崩さないほうがいいんですかね？」

「時と場合によりますねぇ。時には強気なほうがうまくいきますから」

「なるほどなるほど」

「いつまでもおしゃべりしてないで依頼の話しようよ」

自己紹介から冒険者の心得へと移っていた会話をウィアーレが止めた。

「そうでしたね。仕事にいらしたんでした。では依頼の話をしましょうか。といってもウィアーレが話しているようですし、道具と材料を置いてある場所へ案内しましょうか」

子供たちを除いた三人は庭の隅に置かれている修理道具一式を取りに移動する。

手順としては修理箇所に薄めの板をくぎで打ちつけ、水をはじくペンキのようなもので板とその周囲を二度塗りするという簡単なもの。高さという問題がなければ誰にでもできそうな作業だ。この建物の高さは八メートル少々、周囲にはクッションになるような木や茂みはない。素人が落ちれば軽傷では済まないだろう。

「はしごで登りますか？　それとも二階の窓からよじ登りますか？」

「魔法で飛べますからはしごはいりません」

魔法で少し浮いて実践してみせる。それを見たウェーイは驚いたように目を見開く。若い見た目に反して、中々の実力を持っているのだなと思ったのだ。

これならば大丈夫と判断したウェーイはお願いしますと頭を下げ、建物の中へと戻っていく。

「私もギルドに戻りますね」

「その前に」

ギルドに戻ろうとするウィアーレを呼び止める。

「なんですか？」

「一度一緒に上に上がって修理箇所を教えて。そうしないと修理箇所見逃す可能性がある」

「……えっと上がるってどうやって？」

「だっこかおんぶで一緒に飛ぶ」

「……お父さん呼んできちゃだめ？」

一度屋根を見上げて、視線を幸助に戻し聞く。

「高齢者にあまり負担はかけたくないな」

「……落とさない？」

「いやいや落とさないよ!?　暴れなかったら落ちないだろうし」

悩みに悩んでウィアーレはうなずいた。

「一度上がろうとしたんだろ？　なんでそこまで悩むのさ？」

「空飛ぶのって初めてだから不安が」

「誰でも飛べるんじゃないんだ？」

「飛翔《ひしょう》魔法は使い勝手がいいわけじゃないって知ってるでしょ？」

「教えてくれた人、そんなこと言ってなかったけどなぁ」

エリスや幸助のように魔法に優れた才を持ち、魔力C-以上の者にとっては飛翔《ひしょう》魔法は便利なものだ。しかしそれ以外の者にとってはそうそう便利なものではない。制御が下手だと速度調節や方向転換がうまくいかず、魔力が足りないと長時間飛ぶことなど無理だ。

エリスの魔力C+で十二時間近く、幸助のC-で三時間ほど飛ぶことができる。飛翔魔法は魔力が最低Dないと使用不可能だ。そのDで十分間は飛ぶことができる。ちなみに飛翔速度は魔力消費に関係ない。どれだけ速く飛ぼうが、魔力消費が増えることはない。ただし調子にのって限界速度まで出すと制御ミスを起こしたとき自爆するはめになる。

「一度一人で飛んでもらえます？　その飛ぶ姿を見て、不安がなければ背負ってもらいます」

「了解」

幸助は魔法を使い空中に浮く。そしてゆっくり屋根まで移動して下りてくる。

「これでどう？」

「大丈夫そうですね。で、では失礼します」

幸助の背中に抱きつく。互いに落とさないよう落ちないようしっかりとくっついている。

ウィアーレの大きいとはいえない胸が幸助の背中に押し付けられる。そのことに気づいた幸助の動きが止まり、顔が赤くなる。

「どうかしました？」

動きを止めた幸助に不思議そうにウィアーレは問いかける。ウィアーレからは幸助の赤い顔は見えていない。

「い、いやなんでもないですよ!?」

「そ、そうですか」

気恥ずかしさやら感じる柔らかさに気をとられたりで挙動不審な幸助を、ウィアーレはさらに不思議に思う。

「飛ぶよ！」

「きゃっ」

誤魔化すために勢いよく上昇する。そのせいでウィアーレはさらに強く抱きついた。

幸助は一瞬だけ気がそれそうになるが、なんとか集中し屋根まで浮かび上がった。

「どうしてゆっくり上がってくれないんですか!?」

怖がっていたのを見ていた幸助に、どうして怖がらせるようなことをするのかと怒る。

「ご、ごめん」

自分が悪いのはよくわかっているので、素直に謝った。

浮いたまま屋根を移動し、修理箇所を教えてもらう。

確認を終えた二人は地面に降り立った。地面に足をつけたときウィアーレは安心したような表情を浮かべる。そのウィアーレに再度謝って許してもらった。

まだ仕事があるウィアーレはギルドへと戻っていく。それを見送り、幸助は修理を始める。

以前も似たような修理はしたのだろう、あちらこちらに修理跡がある。どれも応急処置ばかりなのは、経営に余裕がない状態が続いたためか。

カコンカコンとくぎを打ちつける音が響く。板を打ちつけ終わり、ペンキを塗る作業に移る。

ペンキを持って上がるために地面に下りたとき、誰かに見られているような気がした。

「ん？」

視線を感じた方向には子供たちがいる。ハケとペンキを持って上がろうとする幸助を子供たちがじっと見ていて、幸助がそちらを見ると建物の陰に隠れてしまう。

なんだろうと思いつつも屋根へと上がる。

修理箇所にペンキを厚く塗っていき、一通り塗り終わる。あとは乾くのを待って、もう一度塗るだけだ。しかし乾くのに約三時間かかるらしく、その間なにをしようかと屋根に座り考えた。

五分ほど考えなにも浮かばず、とりあえず下りることにする。

下りる途中、二階の窓の向こうにベッドで寝ている眼帯をした子供と幸助の目が合う。

きょとんとしたその子供に手を振ると、その子供も小さく手を振り返す。

「風邪かな？」

二階を見上げ、首をかしげる。

下りてもなにもすることが思いつかなかった幸助は、ウェーイに声をかけて孤児院を出る。ペンキが乾くまでぶらついて暇を潰すことにしたのだ。

子供たちの視線を感じ、振り返ると物陰から幸助を見ている。

「用事があるなら話しかけてくる、よね？」

珍獣を見ているようなものなのだろうと考え、幸助は視線から逃れるように孤児院から離れていった。

そして買い食いなどで暇を潰し、陽が傾いてきた頃に幸助は戻ってきた。

残りの作業を素早く終わらせた幸助は、ウェーイに終わったことを告げギルドへと向かう。

「終わったよ」

「お疲れ様です。完了証明紙は私が持ってますから、依頼紙を」

「ほいさ」

ポケットから依頼紙を取り出しウィアーレに渡した。

「報酬は50ルト、銅貨二枚と石貨十枚となります。ご確認ください」

「……たしかに。あ、これあげる」

買い食いしていたときに買った焼き菓子と飴玉の入った袋も渡す。

「これは？」

「子供たちに。風邪ひいている子にもね」

「ありがとうございます。でも、風邪ひいてる子って？」

「二階で寝ている子を見たんだけど」

「あ、あの子は風邪じゃないんです」

「病気かなにか？」

「いえそういうわけでもないんですよ。健康そのものです。ただ極端に体力がないだけで」

「そういうことあるんだ」

「あと四、五年もすれば、日常生活を送るには問題ないと言われてるんです。ほかの方が受付に用事があるようなので話はここまででいいですか？」

「邪魔になってたか。ごめん。じゃ、俺は帰るよ」

後ろにいた冒険者に一礼し幸助は宿に戻っていった。

9　幸助と冒険者たち

次の日もそのまた次の日も、幸助は雑事系依頼ばかり受けていく。

犬のしつけや翻訳補佐や建築作業などの技術的なものは避けて、力仕事ばかりに偏るのはご愛嬌《あいきょう》というものだろう。

そういった雑事系ばかり受ける幸助のことを聞きつけた人が、街中で幸助を見かけると直接依頼してくることもあった。

例えば牛の大雑把な解体を手伝ったこともある。肉屋の店主がリッカートにいる出産間近な娘に会いに行くため、人手不足になる店の手伝いを探していたのだ。

これも技術的なことで無理だと思ったが、勢いにおされ断りきれなかったのだ。

幸助が求められたのは牛の各部位を大雑把に切ること。ほかの店員は各々の仕事で忙しいので、その作業だけでもやってもらえると助かるのだ。

初日に指導を受け、手順の書かれたメモも準備され、六日間、朝から午後九時頃まで切り続けた。おかげで腕は瞬く間に上がっていき、店主が帰ってきた頃には、牛の切り分けは店内でもトップクラスに入る腕となっていた。

こんなふうに冒険者というよりは、街のなんでも屋といった働きぶりとなっていた幸助を、ほかの冒険者たちは正規の依頼をこなす実力のない冒険者として見ていた。

だから勘違いする冒険者も出てきた。


「おい」

いつものように自分にあった雑事系依頼を見つけギルドから出て行こうとしている幸助に、見知らぬ冒険者たちが声をかける。

「なんですか?」

「一緒に来いよ」

幸助を見る目は格下と決め付け蔑んでいた。

「は?　俺今から仕事に行くんですけど」

「どうせ雑事系だろ。そんなものほっといて俺たちの依頼を手伝えよ。おとりくらいにはなるだろうよ」

「いえこの依頼のほうが楽なんで」

じゃぁと手を上げ、その場から去ろうとする幸助の肩を掴み、リーダー格の男が止める。

「離してくれませんか?」

「素直に承諾しとけよ。外に連れ出して安全に経験積ませてやろうって先輩の親切心なんだぜ？　まあ授業料として報酬はなしなんだがな」

「鎧も着てない人を外に連れ出そうとしてる時点で、親切心からはずれたあほらしい考えですよね。しかも報酬もなしなんていう馬鹿な考えも追加ですか」

挑発気味に返したのは幸助がいらついているからだ。聞こえよがしに陰口を言われ続け、聖人ではない幸助は流すこともできず徐々にストレスがたまっていたのだ。魔物討伐の依頼でも受けてストレス発散してやろうかと、殺すことをためらっているとは思えない物騒な考えをしはじめていた。

「んだとっ!?　ごちゃごちゃ言ってねーで大人しくついてくればいいんだよ！」

男が怒鳴り気味の大声を出す。短気というわけではなく、少し脅せばついてくるという考えだ。ほかのメンバーも脅しにのっているようで、険しい目で幸助を睨《にら》んでいる。

男の声で、ほかの冒険者たちに注目されるが、止めようとする者はなく様子を見ている。

脅しは魔物たちの殺気や暴走したボルドスの威圧感に比べるとたいしたものではなく、幸助になんの効果も与えていない。

「どうしたんですか？」

大声を聞いた職員が近づいてきた。

幸助が知っている職員だった。ギルドに来た初日に受付にいた女性職員だ。

「この人たちが仕事に行くのを邪魔してるんです」

「ギルドは冒険者同士の争いには関わらないんだろ。さっさと向こうにいけよ！」

「確かに冒険者同士のいさかいには関わりませんが、依頼の邪魔となると話は別ですよ」

「いいんだよ！　どうせ雑事系依頼なんだから！」

「雑事系というと、もしかしてあなたはコースケ・ワタセですか？」

「そうですがなにか？」

イラつきが残っており、硬い口調で返す。

「いえただの確認です。あなたにはなんの問題もありません。問題があるとすれば、あなたたちレグルスパロウです」

「レグルスパロウ？」

聞き覚えのない単語に幸助が首をかしげている。

「彼らのチーム名です。複数の冒険者が集まった場合、チームとして名乗るのですよ」

レグルスパロウ、そういう名の宝石があり、意味としては惹かれ合うというもの。彼らは惹かれ合った者たちという意味でつけたのだろう。

「俺たちになにか問題なんかあるのかよ。問題あるとすればそいつだろ！　冒険者として失格の小銭あさりが！」

幸助が小口の依頼ばかりを受け続けたことで、ほかの冒険者たちは幸助を冒険者として当たり前の仕事もこなせないという意味をこめて「小銭あさり」という蔑称をつけたのだ。

「……小銭あさりですか」

職員はくすりと小さく笑い、話を続ける。笑みにはどこか嘲りが含まれているようにも見えた。

「知っていますか？　ワタセさんの受けた依頼には偏りがあるんですよ？　どれも力を必要とするものばかりです。普通ならば冒険者など鍛えた者が最低でも四人は必要な依頼をたった一人で、しかも短時間で終わらせているのです。しかもこの二十日間で受けた依頼は三十五件、一日休んだだけであとはずっと力仕事をこなし続けています。さらにはどの依頼も依頼者に満足してもらい解決しています」

幸助がそれだけ依頼をこなし続けたのには深い意味はない。ただ疲れなかっただけだ。しっかりと眠れば、この街で受けた程度の依頼ならば次の日の朝には疲れがとれた。一日休んだのは、疲れをため込んでいると勘違いしたボルドスに無理矢理休まされただけだ。

「そ、それがどうした！　雑事系依頼なんかどれも取るに足らぬ簡単なものばかりだろ！」

「そうですね、はっきり言って冒険者の仕事としては首をかしげるものが多いのは事実です。けれども冒険者でなければこなせない依頼があるというのも事実です。そんな依頼を短期間でハイペースで達成し続けているのですよ？　そのすごさがあなたたち冒険者に理解できないはずはないでしょう？　そのワタセさんに小銭あさりなどという二つ名をつけて、あなたたちの自尊心を満たすことの愚かさに気づかないのですか？」

職員は目の前の冒険者だけではなく、ほかの場所からこの騒ぎに注目している冒険者たちにも聞こえるように言った。

先ほどの嘲りは幸助に向けたものではなく、幸助を馬鹿にしていた冒険者たちに向けられたものだったのだろう。

「やけにそいつの肩をもつじゃねえか！　功績のないそんな奴をひいきしてなんの意味があるってんだ！」

「有望な冒険者に注目するのはギルドとして当然のことです」

「有望？　そいつが？　冒険者らしいことをなんもしていないそいつが!?」

おもいっきり馬鹿にしたように笑いながら幸助を指差す。指差された幸助も職員の言葉に驚いている。指摘されたように冒険者らしい依頼は受けていないのだ。評価されることが不思議だった。

「有望ですよ？　すでにワタセ氏を指名して依頼が入るようになってますし。といっても雑事系依頼ばかりですけどね」

職員のこの言葉にざわりと雰囲気が揺れる。雑事系依頼でも指名されることは多くはないのだ。このギルドに所属する者で指名されるのはボルドスをはじめとして五人だけだ。

「いい加減なこと言うなよ！　そんな奴に指名!?　そいつが受けた依頼は雑事系ばっかりじゃねえか！　そんなんで指名なんかされるはずがないだろっ」

「雑事系だからこそですよ。雑事系依頼はこの街の住民が困っていること。それを解決し満足してもらえば、それだけ住民に良い印象を与えます。そして解決してもらった住民は近所の住民に話すでしょう。こういった冒険者に問題を解決してもらったと。それを聞いた住民に問題が発生したとき、話に聞いた冒険者ならばどうにかしてくれるかもしれないと思っても不思議ではありませんよ。そして問題を解決してもらえばまた評価は上がり、住民の間に噂は広まるでしょう。雑事系依頼というのは低めの報酬のかわりに、住民の好印象という見えない報酬を得ることのできる依頼でもあるのです」

職員が説明するうちに、理解できてきた冒険者たちの顔色が変わっていく。好印象を得ることができるとわかっていたのかと、幸助を見る目も変わっていく。まあ、幸助は好印象を得るために雑事系を選んでいたわけではないのだが。

「わかりました？　こういった経緯でワタセさんに指名が入るようになったのですよ。ついでにいうとギルド職員からの評価も高めです。それはたまりがちな雑事系依頼をどんどん減らしてくれたからです」

ギルドからの評価も高いという言葉に、その場にいる冒険者たちはさらにざわつく。

「依頼が解決されず長期にわたり残ってしまうということは、それだけそのギルドに解決能力がないということになります。そんなギルドに依頼を持ってこようと思いますか？　もっと頼りがいのあるギルドに持っていこうと考えるのが普通です。そうやって依頼を別のギルドに持っていかれたり、解決してくれないから出すだけ無駄と依頼を出されなくなると、ギルドの収入は減っていきます。ですから雑事系依頼であろうとも次々と解決していったワタセさんは、ギルドにとって嬉しい存在なのですよ。これで私がワタセさんをひいきする理由がわかりましたね？　ギルドと住民にとってありがたい存在であるワタセさんと、ギルドにとって迷惑なあなたたちとでは対応が違って当然なのですよ？」

レグルスパロウの面々は悔しげな表情で、職員と幸助を睨《にら》みつけている。

幸助自身はこのようなことになるよう狙ったわけではない。楽なものを選び続けていっただけだ。それが小さなことからこつこつと、という状態に偶然つながった。

「そいつがひいきされる理由はわかった。だが俺たちがギルドにとって迷惑なんてのは聞き捨てならねえ！」

「わかっていると思うんですが、とぼけているんですか？」

困りましたねと眉をひそめ、表情を厳しくして続ける。

「あなたたちが引き受けた依頼は実力にあわぬものが多く、達成率は四割をきる。本来ならば引き継ぎ手続きは多用されるものではありません！　それをあなたたちはここ一年半ですでに十回。この街に来る前とあわせると二十を超えます！」

一喝するような言葉に、レグルスパロウの面々は一歩下がる。戦う能力として見るとレグルスパロウの面々に軍配があがる。だがギルド業務を預かる者としての責任を背負った職員の言葉に、責任を放り出した形のレグルスパロウは迫力負けした。

「ギルドが依頼達成できない者を送ってくると依頼者に思われてしまい、ギルドへの印象が下がります。正直いい迷惑なのですよ。そこでギルド職員たちによって話し合いが行われ、決まったことがあります。それは、あと一度でも引き継ぎ手続きを必要とする事態になった場合、あなたたちのこの大陸でのギルド使用を半年停止します。これは提案ではなく警告です！　わかりましたか？」

こういった話は普通は彼らを呼び出してからするものだ。今回のように多くの面前で話したのには二つの理由がある。

一つは雑事系依頼の重要性を知ってもらい、もっと多くの冒険者に受けてもらうことを狙った。しかし、これはその場で思いついたついでみたいなものだ。

本命はもう一つのほうだ。

ギルドが本気ということを知らしめることを狙った。この場にはそれなりの人数がいて、彼らは証人となりうる。もしレグルスパロウが引き継ぎ手続きを行えば、ギルドは本当に使用禁止を大陸中のギルドに知らせる。こうすることで今後のためにも一罰百戒となればいいと考えたのだ。あとはレグルスパロウにあとがないと知らせることで、成長を促すことも少しは考えていた。

「ちっわかりましたよ！　行くぞ、お前ら！」

ギルドを使えなくなることは冒険者にとって痛手でしかない。そのことをレグルスパロウの面々もよく理解している。

そして、今受けている依頼を確実にこなすため、これから仲間内で話し合おうと考え、ギルドを出ていった。

「これでましになってくれるといいのですが」

厳しい表情から一転し、困った表情に変わる。

「えっと俺も依頼に行っていいのかな？」

「ええ、いつもどおりの働きを期待していますよ」

「できることを当たり前にやってるだけなんだけど」

高すぎる身体能力あっての仕事量だという自覚はあるが、その自覚がまだまだ足りないゆえにこんな騒ぎになってしまった。一般の冒険者は日に一つ二つの依頼を受けないし、二、三日に一度は休みをとるものだ。

「でしたら、そのままでいつづけてください。その当たり前ができていない冒険者は意外と多いのですから」

「あと十日間ほどマイペースで頑張ることにします」

「十日？」

「この街にいるのもあと十日ですから」

「そうなのですか。有望な冒険者がいなくなるのは残念ですが、行くなとは言えませんからね。旅とロマンは冒険者から切り離せないものですし」

「実家に戻るだけなんですよ。時々はこっちにくるんじゃないかなぁ。お金稼ぎたいし」

これを聞いた職員は安心して笑みを浮かべる。優秀な冒険者の流出は避けたいのだ。

その職員に見送られ、幸助は依頼者のもとへと向かった。今日の仕事は荷物の移動だ。

この日から雑事系依頼を受ける冒険者の数が少しずつ増え出すことになる。職員の説教が効果を表したのだろう。ギルドにとって嬉しい出来事だ。


その日ギルドは、いやベラッセン自体がいつになく騒がしかった。日が落ちても人々は街中で騒いでいる。誰もが喜び、嬉しいと笑みを浮かべている。通り過ぎる人からは「やったな！」「ざまーみろってんだっ」といった声が聞こえてきていた。

近くの村へと手紙や荷物を届ける仕事を半日かけてすませてきた幸助はどうしてかと首をかしげる。

「ギルドに行けばわかるかな？」

無事届けたことを報告するついでに聞けばいいとギルドに歩を進める。

「どもー依頼終了したんで報酬をください」

「お疲れ様です！」

元気な返事が返ってくる。これまでの人と同じようにギルド職員の表情も明るい。

「ダユウの村へのお届けものですね。証明紙をいただけますか。少々お待ちください」

職員は受け取った紙を見てうなずき、報酬を準備する。

「はい、たしかに。こちらが報酬の銀貨五枚となっております」

「朝にここを出たときは騒がしくなかったんだけど。なにかあった？」

銀貨をしまいつつ聞く。

「朝に出たのなら知らないですね。昼前にリッカートの冒険者ギルドから各地のギルドに連絡が来たんです。黒竜が死んだと。それが冒険者に発表され、住人に伝わり、あっというまにお祭り騒ぎですよ」

黒竜が死んだという情報はあっというまに街の隅々まで広がり、老若男女、善人悪人問わずに伝わった。誰もがもろ手を上げて喜び、隣り合う人たちと抱き合った。

これはベラッセンだけではなく、ピリアル王国中で見られたことだ。竜の死は一国を騒がすほどの慶事なのだ。

「そんなに騒ぐこと？」

「もしかしてあなたは最近国外からやってきた人ですか？」

ほかと比べてテンションが低い幸助を見て、なにかに気づいたような顔つきとなる。

「うん」

「それならピンとこないかもしれませんね。あの黒竜の気まぐれで壊された村や街がいくつもあります。人も何人も死んで、いつ自分たちが同じような目にあうかと不安を抱いていました。その心配がなくなったんです。嬉しくて騒ぎたくなりますよ」

実際にそんな目にあっていない幸助が実感できなくて当然だろう。日本では命が狙われることなど、ほとんどないのだから。

ほかの場所でも魔物による被害で似たような話はあるが、それらは行動範囲が狭く黒竜のように一国全域を動き回ることはないのだ。

三日ほどはお祭り騒ぎでしょうねという職員に別れを告げて、幸助はギルドを出る。

宿への帰り道、周囲をよく見てみると割引だーっといった声があちらこちらから聞こえてきて、本当に祝い事なのだとわかる。

竜の死は幸助がやったことだが、実感が薄いため周囲のテンションにのれないでいる。思いに共感できず騒ぎにのりきれず、少し寂しくもある。

「お帰りなさい！」

宿ではやはり上機嫌なシディに出迎えられた。機嫌の良さを示すように、後ろのポニーテールもピョンピョンと跳ねている。

「ただいま。やっぱり皆と同じように嬉しいんだ」

「ん？　そうだよ。当たり前！　今日の夕飯はコックさんが腕を振るうらしいから楽しみにするといいよ」

「それは楽しみ。んでちょっと聞きたいんだけど」

「なに？」

「竜の死因ってどうなってる？」

「詳しいことは知らないねー。ただ病死とだけ聞いたよ」

「病死か。竜を殺せる病なんだから人間も気をつけないとね」

病死ということになったのだなと心の中でうなずいた。

「そういえばそうだね。広がるような病気じゃないといいんだけど」

表情に少し不安を表したシディにすまなく思いつつ、部屋に戻る。

シディの不安は騒ぎの中にいることで薄れていった。そして騒ぎは一晩中続き、収穫祭などに負けないくらいにぎやかな一日となった。

実際に竜の死体のあるリッカートでも、祭りといってもいい騒ぎだった。そのお祭り騒ぎは竜の死体がなくなるまで、規模を小さくしつつも続いていった。

他国にも黒竜の死の報は届き、ピリアル王国ほどでないにしろ安堵《あんど》の思いを抱く者が多かった。黒竜は世界を移動していたのだ。ピリアル王国に飽きれば他国に移動して、好き放題暴れる。

そんな危険がなくなったのだから、他国に安堵する者がいるのは当然だった。

竜殺しの過ごす日々

四章

帰る前の騒動

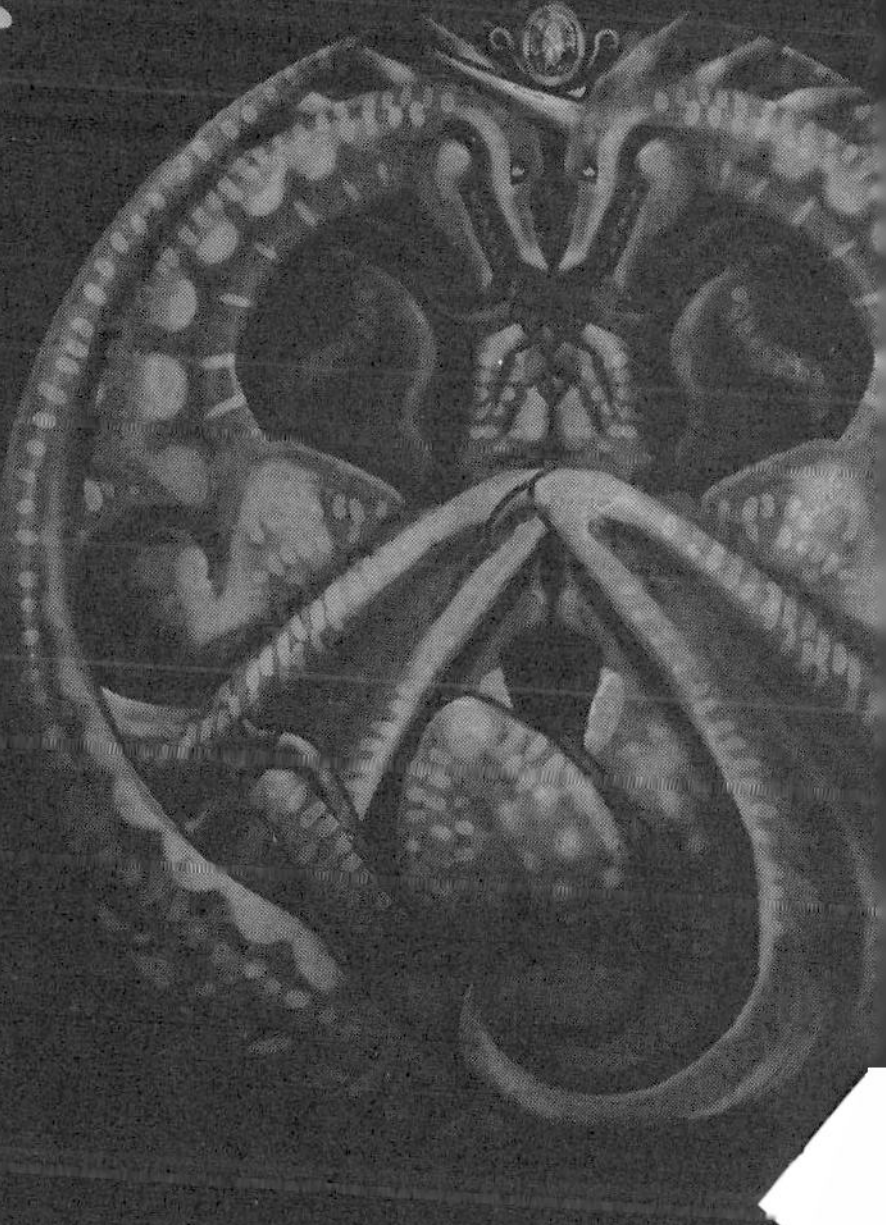

10 依頼

エリスに指定された期日まであと六日という日。目標金額に届いた幸助は上機嫌に宿へ戻り、夕食も食べ終えて自室でのんびり過ごしている。明日から依頼を受ける必要もなくどうやって過ごそうかと幸助が考えていたとき、部屋の外から誰かが走る音が聞こえてきた。その足音は扉の前で止まり、勢いよく扉が開く。

「コースケさんっ頼みったいことがっあるんです！」

部屋に入ってきたのはウィアーレだ。息をきらして、汗だくになり、必死な表情で幸助を見ている。

自身を見る視線の強さに幸助は押されている。

「た、頼み？」

「街の外に出たコルングたちを連れ戻してもらいたいんです！　お金は今はたいして用意できないけど、きちんとお支払いしますので！」

「コルングって誰？　とりあえず息を整えて、落ち着いて最初から話してくれる？　断るつもりはないから」

水の入ったコップをウィアーレに差し出す。それをいっきに飲んでウィアーレは数秒間息を整える。それでも若干慌てた様子は見せつつ、口を開く。

「えっとですね、以前幸助さんが風邪をひいてるって勘違いした子が本当に風邪をひいたんです。体力のない状態で病気になって、私たちが風邪になるよりも苦しい思いをしているんです。状態をよくするにはとある薬と魔法を併用すればいいんですけど、運悪く薬の材料がこの街にはなくて。転移魔法を使える人に頼んでよその街から取ってきてもらおうと思ったんですが、その依頼料と薬の材料代金が高くてうちでは出せないんです。でもお金は近所に住む人たちに借金することができて調達できました」

　ここでウィアーレは一呼吸して続きを話す。

「頼みたいのは、うちにお金がなくて薬草が買えないと思い込み、街の外へ薬草を取りに行った子供たちを連れ戻してもらいたいってことです」

「なるほど、その子供の一人がコルングってことと」

「はい」

「街の中にはいなかったんだ？」

「私たちもはじめは遊びまわってると思って探し回ったんです。そしたら街から出て行く荷馬車に乗り込むところを見た人がいて」

「その人は止めなかったのか？」

「出て行く馬車の関係者だと思っていたようで」

「それなら止めないね。子供たちはどこに向かってるんだ？」

「西のくぼ地です。徒歩で六時間くらいの近場ですが、ここらでは一番の危険地域でもあります。そこの泉にリルトートリネという薬草が生えているんです」

幸助は薬草の名前を聞いたとたん表情が変わる。その薬草に関連したことをホルンから聞いていた。慌てて立ち上がり、立てかけていた剣を手に取る。

「そこってここらで一番強い魔物のいる所じゃん!?　そんなとこに子供たちだけで!?」

そこに行くまでも危ないが、到着しても危ない。

急いで宿を出て、飛翔《ひしょう》魔法を使う。一緒に宿を出たウィアーレのほかに、騒ぎを聞きつけたシディや宿泊客に見送られあっというまに幸助は街を出た。

遠く去っていく幸助の姿をウィアーレは必死に祈りながら見続けていた。

「コースケ君って空を飛べたんだ」

そんなウィアーレの隣で、おーっと感心した声を出して、遠くに見える幸助をシディは見ている。

「あの」

そのシディにウィアーレがおずおずと話しかける。

「ん？」

「騒いでしまい申し訳ありません」

「まあ驚いたけど、あれだけ必死だとね。事情があるんでしょ？」

「はい。子供たちが街の外に出ちゃって帰ってこなくて」

「大変じゃない!?　そんな大変なことを頼むなんて、コースケ君のこと信じてるんだね」

「頼れるのが、コースケさんしか思いつかなくて」

竜殺しという力を持つ幸助ならばどうにかできるのではと、それこそ神頼みする思いでやってきたのだ。

そんな思いで来たウィアーレだが、後ろめたいものを感じていた。頼みを聞いて幸助に不利なことが起きるというのではなく、ウィアーレが勝手に抱いていた思いのせいだ。

ギルドにやってきて次々と依頼を成功させていって、一月たたずに評判を獲得した幸助をウィアーレは羨んでいた。

ウィアーレはどじと言われ、できることはとても少ない。今もギルドの仕事は失敗ばかりで、申し訳なく思いながら働いている。

なんでもできるような幸助を見ていると、自分の情けなさが余計に感じられ、どうしても暗くなってしまう。

それを表に出さず、笑いながら幸助と話してはいたが、そばに来られるのが辛くもあった。

一方的にだが、そんなふうに思っている幸助に頼みごとをするのは、都合よく利用するようで申し訳なかったのだ。

「子供たちもコースケ君も無事に帰ってくるといいね」

シディはウィアーレがなにかしら抱えていると気づいたが、それに触れずに子供たちの無事を願う。

「はい」

幸助が帰ってきたら、感謝と謝罪をしようと決め、うなずいた。

きっと幸助はなぜ謝られたかわからないだろう。それでもウィアーレは謝らないといけないと思っていた。

それが頼みを聞いてもらった幸助への最低限の礼儀だと思ったから。


夜風を切り、出せる最高速度で飛び続けた幸助は三十分を少し超えるくらいでくぼ地のふちに到着した。

一心不乱に前だけ見続けていたので、月が雲に隠れていることもあって、もし道中に子供たちがいたら見落としていた。だがそうならずにすんでいた。暗い中二ヶ所灯りがついている場所があり、その一つ、幸助が着地したところから近い場所に冒険者らしき二人と子供たちが一緒にいたからだ。

「無事だった〜」

見覚えのある子供たちを見つけて、幸助は大きく安堵《あんど》のため息をついた。

「あんた、この子らの知り合いか？」

突然やってきた幸助を警戒しつつ、冒険者の一人は問う。

「その子らの保護者と知り合いなんだ。その保護者に頼まれて連れ戻しにきた」

冒険者は子供たちに幸助を知っているか問いかけ、屋根の修理をしてくれたことを覚えていた子供たちはそれにうなずいた。

それで警戒心が解けたのだろう、冒険者たちの硬くなっていた表情がわずかに緩む。

「そうか。それなら連れて帰ってくれ――」

ないか、と続けようとした男の言葉を遮って悲鳴が上がる。

全員が悲鳴のした方向を見るが、遠くて暗く何が起こっているのかわからない。

「くそっヴァイオレントバルブに襲われたか!?」

ヴァイオレントバルブ、このくぼ地が危険地域となっている原因の魔物の名前だ。

地中の浅いところに住む魔物で、本体である球根は滅多に動かない。かわりに硬く敏《びん》捷《しょう》で鋭い牙を持つ口のある根が獲物を捕らえる。地面のどこから襲ってくるかわからず、また根の数も多い。根を攻撃しても本体にはなんのダメージもない、間違っても駆け出しには倒すことなどできない魔物だ。

それがこのくぼ地には五体以上群れている。

「あんたはここで子供たちを守っててくれ」

男たちは幸助の返事を聞かずに、悲鳴の上がった方向へと走っていく。悲鳴におびえる子供たちをなだめて、男たちが戻ってくるのを待つ。

二十分間、怒声や悲鳴や剣戟《けんげき》の音が聞こえ、走っていった男たちが仲間を連れて戻ってきた。彼らは全員傷だらけで、歩くのがやっとといった様相だ。

「こいつらを頼む」

仲間を地面に寝かせて男たちはもう一度、くぼ地の中心へと向かおうと立ち上がる。

「その傷じゃ無理だ！」

無茶だと判断した幸助は彼らを止めた。

「仲間がまだ一人残ってるんだ！　俺たちをここまで逃がすためにおとりになった！」

「必ず助けると約束したんだっ、だから俺たちは行かなくちゃいけない！」

体はぼろぼろなのに、気力は満ちている。

ここで行かせれば彼らは死ぬだろう。死者が出るのは嫌だと思い、仕方ないと覚悟を決めて幸助は口を開く。

「……それでもあなたたちはここにいてください。俺がかわりに行ってきますよ」

「それこそ危険だ！　防具も身に着けず、剣一本でどうこうできる相手じゃない！」

「大丈夫です。まあ信じろとは言いません。俺も強敵らしい魔物と戦うのは初めてですし。ですけど知り合いは大丈夫だと言ってくれました」

リルトートリネの話を聞いたときに、もしヴァイオレントバルブと己が戦うことになったらどうなるかと聞いた。

そのときのホルンたちの答えは、勝つのは難しいが負けることは絶対にないというものだった。

勝つには地中にいる球根を攻撃しなければならないが、幸助にはその手段はまだない。そしてヴァイオレントバルブは幸助にほとんどダメージを与えることができない。幸助がヴァイオレントバルブの活動範囲から移動すれば、負けはしないのだ。

戦闘経験が少なく自身の実力を完全に把握していない幸助は、自身がヴァイオレントバルブとどれくらいやりあえるのかわからない。しかしホルンたちの言葉を信じることはできる。だからホルンたちの言葉通り負けないのだろうと考えている。二人の大丈夫だという断言が幸助の心を支えていた。

ぼろぼろな自分たちよりも、臆することなく言い切った幸助のほうが仲間を助けることができそうだと判断し、男たちはその場に座って「頼む」と一言告げた。

うなずいた幸助は、灯りの魔法を使ってから、剣を抜き緩やかな坂を駆け下りる。走ったことで起きる振動で、幸助の接近を察知したヴァイオレントバルブの根が、地面から飛び出てくる。ざっと見ても二十本以上あり、一本一本が綱引きの綱と同じくらいの太さで、先端には鋭い牙をずらりと持つ口がある。

「邪魔！」

できるかぎりよけ、無理なものは剣を振るい断っていく。並みの剣では切れない根は力任せの攻撃で両断されていく。

十本ほど断ったところで、根が密集しているところに到着した。吐き気を催す血の匂いとともに、弱弱しい声と肉をかむ音が聞こえてくる。

「このっ」

剣を振るい根を次々と斬りとばす。根を払いのけた向こうには血だらけの男が横たわっていた。

手を口元に当て、吐き気を我慢する。手はそのままで話しかける。

「すぐ治療しますから」

重傷用治癒魔法をかけようとして屈《かが》んだときに、新たな根が地面から飛び出してきた。幸助に襲いかかる根は少なく、ほとんどが血の匂いにひかれて男へと向かっていく。幸助は、男に近寄らせないため、剣を振るい追い払う。根の数は多いが、剣と腕が見えなくなるほどの速い剣さばきによって男に近寄ることはできなかった。そして追い払い治療しようとすると再び新たな根が飛び出てきて、男を狙う。


「きりないな！」

「に、にげ……ろ」

薄れゆく意識の中で男は幸助だけでも助かるように声を発する。

「しゃべっちゃだめだ」

完全に治療することよりも、傷口をふさぐことを目的とし魔法を使う。こちらは重傷用治癒魔法よりも素早く使えるので、なんとか使うことができた。だが傷をふさいだだけで、流れ出して失った血と体力まではどうにもできない。

「これからどうしようか？」

応急措置はできたが、動かしていいものか悩む。背負って移動するにしても、根は必ず襲いかかってくるだろう。そうするとよけるために激しい動きをしなければならない。重体の身には大きな負担となる。

「襲いかかってこなくなるといいんだけど」

男はいまだ逃げろと言っているが、幸助はそれを無視して考えている。考えてる間にも根は襲いかかってくるので、うまく考えがまとまらない。払っても斬っても次から次に出てくる。

「だあーっ！　邪魔だお前ら！　引っこ抜くぞ！」

思わず口に出した言葉に幸助はそれだと手を叩く。

「引っこ抜いて本体叩けばいいのか」

男が無理だろうと小さく突っ込みを入れたが、聞こえていない。

思い立ったが即実行と幸助は根を一本掴んだ。両手で持ち、力一杯引っ張る。一瞬ピンッと伸びきり、次の瞬間にはちぎれた。ちぎれた根は少しだけビタンビタンと跳ねてすぐに動かなくなる。

「一本だとちぎれるなら、何本も掴んで引っこ抜いてやる！」

襲いかかってくる根を掴んでいき、七本掴んだところで力一杯引っ張る。以前岩を引っこ抜いたときよりもヴァイオレントバルブは重く抵抗があったが、引っこ抜けないということはなかった。

土が盛り上がったと思うと、土砂を巻き上げヴァイオレントバルブが姿を現す。それは百本近い根を持つライチのような見た目をした魔物だ。大きさは直径一メートルを少し超えるくらいの球体で、本体には攻撃できるような手段はない。

「近づきたくないな」

うねうねと蠢《うごめ》く多くの根に少し腰が引けている。

だが近づかなければ目的を達せないので、覚悟を決め突っ込んだ。その勢いのまま剣を叩きつける。

一撃叩きつけるごとに根が縦横無尽に暴れ、幸助の体を打つ。それを気にせず剣を振るい、十本以上の根の動きが止まった。

「とどめのぉっ一撃！」

放った突きはヴァイオレントバルブの中心まで届く。

根がわずかに震え、完全にその動きは止まった。

幸助は剣を抜き、ヴァイオレントバルブの体液を払う。体液は幸助の体にも降り注いで全身を濡らしている。それを触り顔をしかめた。

「気持ち悪ぅ。服もぼろぼろだし、買い換えないとなぁ」

だがそうなったかいあってか、ヴァイオレントバルブの根は出てこなくなった。自分たちを殺せる者がいるとわかり、手出しすることをやめたのだ。

これで落ち着いて治療できるようになり、男に魔法をかけていく。折れていた骨、潰れていた指などが次々と治っていく。

「これで動かしても大丈夫、だよな？」

「……ああ、助かった。だが本当に引っこ抜いて倒すとは」

痛みが消え、だいぶ楽になった男は今までよりも明瞭に話すことができるようになる。言葉に感心や敬意が込められている。だがそれだけではなく呆れもまたあった。

「ただ血とか体力が減って動けそうにない。すまないが背負ってもらえないだろうか？」

「それくらいなら……俺汚れてるけどそれでもいい？」

「贅沢《ぜいたく》は言ってられないだろ、かまわないさ」

「了解です」

剣をさやに納めようとしたができない。刀身がゆがんでしまったのだ。仕方ないとベルトにはさむ。そして男を背負った。

「すまないが、もう一つ頼みごとしてもいいだろうか？」

「できることなら」

「泉に行って、リルトートトリネを取ってきてもらいたい」

男たちはリルトートトリネの採取依頼のためにここにいたのだ。ヴァイオレントバルブが大人しくなった今ならば採取もできる。この機会を逃したくはなかった。

少し寄り道するくらいはどうということなく、幸助は泉でリルトートトリネを採取し、皆の待つ場所へと向かう。念のため奇襲に対して周囲の警戒はしている。

リルトートトリネを採取したついでに、腕と顔についたヴァイオレントバルブの体液は洗い流しておいた。

「戻ってきた！　レイコック無事か！」

「ああ、なんとか生きてるよ」

レイコックと呼ばれた男の周りに仲間が集まる。怪我は自分たちで治したのだろう、傷のほとんどは治っている。

よかったよかったと仲間の無事を喜んだ後、幸助の方を向いて礼を言う。

「ありがとうっ、そんなぼろぼろになってまで仲間を助けてくれて！」

男たちが幸助に頭を下げる。

「これ、取ってきた」

持っていたリルトートリネをレイコックの仲間に渡す。

「取ってきてくれたのか」

「頼まれたし、余裕もあったからね」

「余裕ってそんなぼろぼろで」

信じられないことを聞いたと驚いた表情になっている。

「ぼろぼろなのは服だけ。怪我はしてないから」

「いやそれだけ服がぼろぼろってことは何度も攻撃受けたんだろう？　それで怪我がない

なんて……」

幸助は袖を上げて腕を見せる。根にかみつかれ叩かれた部分は赤く腫れているがそれだけだ。骨折どころか切り傷一つない。痛みも少しひりひりとする程度だ。

「どんだけ頑丈なんだ」

「人一倍頑丈らしいよ。俺もここまでとは今日初めて知ったけど」

頑丈にもほどがあるだろうと皆呆れる。こうあっけらかんと言われると、死にかけた自分たちがおかしいように感じられていた。実際は死にかけるほうが正常なのだが。

幸助もレイコックたちも目的は果たし、あとは帰るだけだ。しかしレイコックをはじめとして大人たちは休息が必要な状態だ。なので夜明けまでこの場で野宿となった。子供たちが早くリルトートリネを持って帰りたいと騒いだが、そんな状態ではないと冒険者たちが諭す。しかし子供たちは納得せず、自分たちのみで帰ろうとする。

「打ち寄せる眠りの波」

言葉で無理ならば行動で、と幸助が子供たちに眠りの魔法を使う。抵抗する間もなく子供たちはその場に崩れ落ちた。

「初めからこうするか、叱るか脅しつければいいのに」

「子供にそんなことはできん」

「優しいのか甘いのか」

動ける者で野営の準備を始める。といってもたき火のために枯れ草などを集めるだけだが。あとは子供たちを毛布で包んで終わりだ。

剣以外なにも持ってきていない幸助は、レイコックたちに携帯食料をわけてもらい空腹を満たす。

なにもすることがなく、幸助たちはぽつぽつと話しながら夜を過ごす。

人間、動物、魔物なんでも食うヴァイオレントバルブが近くにいるので、ほかの魔物が近寄ってくることはない。そのヴァイオレントバルブも幸助に近づくことがないので、気合を入れて見張りをする必要がなく、ゆったりとした時間を過ごせている。

暇潰しの会話でレイコックらが死にかけた理由が判明する。

彼らはすでにわかっているようにリルトートリネ採取に来ていた。到着したのが日が暮れた頃だったので、夜明けを待って行動開始するつもりだったのだ。好きで夕闇の中を行動したわけではない。彼らが動いたのは彼ら自身の甘さが原因だ。

野営の準備をしようかというとき、子供たちが到着し、ここに来た理由を聞いた。そして子供たちの「お願い」を断りきれず、危険だとわかっているのにヴァイオレントバルブの群生地へと足を踏み入れた。人としては素晴らしい判断だったのだろうが、冒険者としては下策もいいところだろう。

それを幸助が指摘すると、申し訳ないと頭を下げた。年下で後輩である幸助に素直に頭を下げたところを見て、幸助はお人好しの集まりなんだなと彼らを許し、それならば子供たちのお願いを無視できなくとも無理はないなと納得した。

ちなみにレイコックたちがここに来たもともとの原因は、レグルスパロウの引き継ぎ手続きだ。レグルスパロウが採取依頼を受けて一度ここに来ていたのだが、ヴァイオレントバルブの強さを読み違え、退くしかなかった。あらかじめ警告を受けていたようにレグルスパロウは、この失敗でギルド利用が不可能になってしまった。

その話を聞いて幸助は、レグルスパロウはこれからどうするのだろうと少しだけ考え、すぐに興味を失った。

夜が明け十分休んだ一行はベラッセンへと戻る。

その途中レイコックの仲間のガッチという男が話しかけてくる。

「ちょいと聞きたいんだけどいいか？」

「どうぞ」

「どうして剣をさやに入れないんだ？　危ないと思うんだが」

昨日、ヴァイオレントバルブを殺したときから剣はさやに納まらなくなっているのだ。

刀身のゆがみのほかに、刃のところどころが潰れている。

「入らなくなったんですよ。無理に入れるとさやが壊れそうだし」

「ヴァイオレントバルブをぶった斬って、それだけですんだんだから運がいいと思うぞ。普通はあんなふうに斬れない」

戦いの始終を見ていたレイコックが呆れたように言う。

「斬った？」

「根も本体もざっくざく」

ガッチやほかの仲間たちが驚いた顔で幸助を見る。

「本当に？」

幸助はうなずいた。

証拠の剣とレイコックの証言があるので、信じないという選択肢はない。それでも信じられない思いを抱いてしまうのは、ヴァイオレントバルブの強さを体験したからだろう。

「強そうに見えないのになぁ」

「意識が朦朧《もうろう》としてたから俺も夢かと思った。でもリルトートリネを取った帰りに、転がって動かないヴァイオレントバルブ見たら夢じゃないってわかった」

「それだけ強いならなにか二つ名とかありそうだ」

「小銭あさりって呼ばれてたよ」

「はあっ!?」

冒険者たちが驚く。聞き間違いかと思い、互いに確認するが間違いではないとわかった。

「小銭あさりって雑事系ばかり受けて、冒険者としての能力がないって噂だったんだが」

「雑事系ばかり受けてたのは楽だし安全だから」

「冒険者なら遺跡とかにロマンを感じないのか？」

「俺が依頼受けてるのは一定額のお金をためるためで、冒険者として身を立てたいってわけじゃないんだ」

「……ああ、なるほど。多くの冒険者と目指す方向性が違うから、依頼の受け方も違っていたのか。しかしそれだけの実力があれば大成できように」

レイコックたちは羨望《せんぼう》を込めた目で幸助を見る。その目に幸助は少し引け目を感じている。努力してではなく偶然手に入れたので、努力している人たちの視線が痛いのだ。

パーティに加わらないかという誘いを断り、雑談しながら歩き続ける。

子供たちの歩調に合わせたり、休憩したりで予定していた時間よりも遅くなったが無事ベラッセンへと戻ってくることができた。

「じゃ、俺はこの子たちを孤児院に連れて行くから」

「夕方頃宿に行く」

無事に帰還した宴《うたげ》でも開くのかと思いつつ幸助はうなずき、子供たちを連れて去っていく。

彼らを少しの間見送って、レイコックたちも歩き出した。彼らは医者に診てもらったあと、ギルドへと向かうことになっている。

このときのギルドへの報告をレイコックたちは事情を隠さず行った。恥ともいえる報告を正直に行ったことで、ギルドは彼らへの信用を少し上げる。

この報告でギルド上層部は幸助の実力を知る。自分たちで確認していないので完全には信じていないが、本当ならばこのギルドにとって今まで以上に有益な人物だと判断し、実力を確かめるため一つの対応をとることにした。それは行うには準備に時間がかかり、実行されたのは一ヶ月以上も先だった。

孤児院に戻ってきた子供たちを待ち受けていたのは、ウェーイのげんこつだ。皆に心配をかけたこと、勝手に街を出て行ったことを叱る思いが込められていた。

子供たちが叱られている横でウィアーレは幸助に頭を下げている。

「コースケさんっありがとうございます！」

「お礼は俺だけじゃなく、リルトートリネ採取の依頼を受けていた冒険者たちに言ったほうがいいよ。俺は帰り道で護衛しただけ。くぼ地で子供たちを守って、わがままを聞いたのは彼らだし」

「そうですか。わかりました、その方たちにもお礼は言います。ですがやはりコースケさんにもお礼は言います。私の話を聞いてすぐに動いてくれたこと、すごく嬉しかったです」

「誰だって動くと思うけど」

「普通の冒険者なら詳しい依頼料を聞いてから動きますよ」

「あ、聞き忘れてたっけ。子供たちが危ないって思ってそこらへん忘れてた」

しまったと思い、頬をかいている。

その幸助をウィアーレは申し訳なさそうに見る。

「ごめんなさい」

「なんで謝るのさ？」

少しためらったが、ウィアーレは正直に胸の内を明かした。

それを聞かされた幸助は戸惑いしか感じない。近くにいてつらいと言われたのは初めてで、少なからずショックを受けた。しかしウィアーレの気持ちを考えると責める気は起きなかった。

「無遠慮に近づきすぎたんだね。こちらこそごめん」

ギルドの職員で親しくしているのがウィアーレしかいなく、話しやすかったのだ。もう少し人の気持ちを考えて動けばよかったと反省する。

「コースケさんが謝らなくても」

「俺が謝りたかったんだよ。今度から距離を置くようにするから」

「いえっ私が勝手に思っていたことだから、そんな気遣いはしなくていいんです！」

「でも……」

ほかの大人と説教を交代したウェーイが二人に近づいてくる。

「二人ともどうしたのです？」

「いえ、なんでも」

気にしないでくださいと幸助は曖昧に笑う。

「なんでもないというふうには見えないんですが」

「私が悪いの」

ウィアーレは一度気持ちを打ち明けたことで、話しやすくなったのだろう。ウェーイにも事情を話した。

なるほどと一つうなずいて、ウェーイは口を開く。

「たしかにウィアーレが悪いね。でも人間誰しもそういった感情はあるから、私としては怒ったり責めたりしにくいな。言えることは、今回のことを糧にして成長してほしいってこと。コースケさんは悪いことをしたわけではないのだから気にしないで、今後もウィアーレに付き合ってもらえると助かります。この子にとって刺激になるので」

「ウィアーレはそれでいいの？　迷惑じゃない？」

弱い視線を向けられたウィアーレはうなずく。

「えっと、また妬みを感じることはあるかもしれないけど、それでも友達のままでいてもらいたいです」

「……友達」

この世界ではっきりとそう言ったのはウィアーレが初めてだ。日本では当たり前にいた存在を再び手に入れることができて、胸がほんわりと温かくなったような気がして、嬉しさが湧いてくる。幸助は自然と笑みを浮かべる。

「ありがとう。新しい友達ができてすごく嬉しいよ！」

「こちらこそ」

二人は笑い合う。それをウェーイはほほえましそうに見ている。

「ウィアーレ」

「なにお父さん？」

「私の洋服タンスに紙袋が入っている。それを取ってきてくれないか？　中身は黒のジャケットだ」

「うん、わかった」

うなずいて走って家の中に入っていく。

「コースケさん、この度は本当にありがとうございました」

頭を下げたウェーイに、幸助は慌てた様子でたいしたことはしていないと右手を顔の前で振る。

「そうでしょうか？　ウィアーレから聞いた話だと、飛翔《ひしょう》魔法を使って急いでくぼ地に向かってくれたとか。そしてこうして子供たちを無事に送り届けてもらいました。子供たちの無事を思い行動し依頼を達成した、礼を言うには十分だと思いますよ」

「でしたら命をかけた冒険者たちに礼を言ってください。子供たちの願いを聞き届け、無茶をした彼らが受け取るべきだと思います」

レイコックらのお人好し加減を考えると、依頼を受けたわりではないと言って辞退しそうだと思いながら言った。

「子供たちを助けてくれた冒険者がいるのですね。彼らが行った無茶とは？」

視界のきかない闇夜の中の危険なリルトートリネ採取のことを大雑把に話す。

話を聞いたウェーイの表情に怒りが混ざる。説教が終わったあと、再び子供たちにげんこつが落とされることになる。子供たちの言動で他人の命が危険にさらされた、そのことを放っておくことはできなかったのだ。冒険者全滅など、もっと悲惨な事態も起こりえたのだと説明し、子供たちに軽はずみな行動のまずさを教え込んでいく。

「あとでもう一回怒らないといけませんね」

「しっかり叱っといてください」

家族のために子供たちだけで街の外に出る、その勇気と行動力は買うのだが同じことは勘弁願うので、幸助は叱るということに大いに賛成だ。

「それはそれとして、やはり礼は言わないといけないし、それ相応の礼もしないといけない」

「え、そこに話を戻すんですか？」

「冒険者にとっては大事なことでしょう？」

「お父さん、持ってきたよ」

家の中に入っていったウィアーレが戻ってきた。手には茶の紙袋を持っている。

紙袋を受け取り、中身を出して幸助に差し出す。

「ありがとう。これは私が現役時代使っていたものなんですが、これを報酬としましょう。見たところ服がぼろぼろで買い替えどきの様子、ちょうどいいのでは？　この服は少々のことでは破れませんよ」

「現役時代の思い出の品なのでは？　そんな大切なものいただけませんよ!?」

「いえいえ、タンスにしまいこんでいるだけですから。どうぞ」

「ですが……」

断る姿勢を崩そうとしない幸助を見てウェーイは、自分たちの生活苦に憐《あわ》れみを抱いているのだと見抜く。経営が厳しいのは事実。だが見下されているようではないので、幸助の憐れみを不快には感じていない。そのくらい流す器量はある。

　にこにこと笑い、譲らない様子のウェーイに根負けした幸助は受け取ることにした。

「……ではいただくことにします。ありがとうございます」

「いえいえ依頼をこなしたことに対する報酬ですから礼を言う必要はないんですよ」

　もらった服はジャケットでどこにもほつれなどなく、何年も前のものとは思わせない。着てみると少しだけ大きいが、動くのに支障はなかった。

　似合いますよ、と言うウィアーレの言葉に照れつつ、再度礼を言った幸助は孤児院を出る。


「あ、お帰りなさい」

　受付で暇そうに肘をついていたシディが幸助に気づき、声をかける。

「ただいま～」

「無事に帰ってきたんだね。子供たちも無事？」

「子供たちはね。でも近くにいた冒険者たちは大変な目にあったけど」

「剣を抜き身のままにしてるのは、その大変なことに関係があるの？」

　ちょいちょいとベルトに下げている剣を指差す。

「うん。さやに入らなくなって。修理って買った店で頼めるのかな？」

「頼めるぞ」

階段の上からボルドスの声が聞こえる。

「あ、ボルドス。久しぶりだね」

「まあ、最近会ってなかったしな。それで剣のことだが、クラレスに頼めばどうにかなるだろうさ。ただ程度によって費用も変わってくるが。剣を見せてくれないか？」

ベルトから抜いてボルドスに剣を渡す。渡された剣の状態を見てボルドスは眉をひそめた。

「……なにを斬ってきたんだ？」

「ヴァイオレントバルブ」

「くぼ地に行ってたのか!?　ヴァイオレントバルブは硬いって話だが、斬れたのか？」

「斬れたよ。力任せだけど」

ボルドスはなるほどとうなずきつつ、感心もしていた。力が馬鹿みたいに強ければ、品質が高いとはいえない武器でも無理を押し通せるものなのだなと。

「これからクラレスのところに行くか？」

「少し寝たいんで、明日行きます」

昨夜は怪我人連中をきちんと休ませるために、幸助が一番長く見張りをしていたのだ。

そのせいで、疲れはないが眠気がする。

そのことを告げて、幸助は剣を返してもらい部屋に戻った。そのまま着替えずベッドに横になった。


夕方になり、扉がノックされる音で起きた。

眠気を払い扉を開ける。ノックをしていたのはシディだ。

「コースケさんにお客さんよ」

「客？　ああ、そういえば」

レイコックたちのことを思い出す。

「下で待ってるんですか？」

「ええ」

一階に下りると、ガッチともう一人ヒイロという名前の冒険者がいた。

「お待たせしました」

「そんな待ってないよ」

「そうですか。それでどんな用事で？」

「これを渡しにきたんだよ」

ガッチが小袋を幸助に差し出す。

受け取って袋の中身を見てみると銀貨が三十枚入っていた。金貨一枚分だ。一般家庭ならこれで三ヶ月ほど暮らしていける。

「……どうしてお金を俺に？」

「俺たちの依頼をかわりにやってくれただろ？　だから依頼料はお前のものだ」

幸助は耳を疑いもう一度聞くが、同じ答えが返ってきて聞き間違いではないとわかった。

「まさか全額持ってきたわけじゃ？」

「全額だぞ」

ヒイロが胸をはって答えた。

人が良すぎだと幸助は頭を抱えたくなる。

「あほだ、あほな奴らがいる」

つぶやいた言葉はガッチたちには届いていないようだ。

依頼を代行したのはたしかに幸助だが、幸助も子供たちを保護してもらい助かったのだ。全額受け取る気のない幸助は半分もらい、残りをガッチに渡す。

「依頼をかわりにやってもらったのはこっちも同じ。だから半分だけもらうよ」

全額返そうにも受け取ってくれないだろうと思ったので、半分もらいガッチに渡す。

この申し出は彼らにとって助かるものだった。レイコックが怪我をした際に傷口から入ったばい菌が原因で入院したからだ。あいにくと魔法で簡単に治せる類いのものではないので、二週間ばかり入院する必要があった。その間の入院費用や滞在費や修理費用で、彼らは頭を悩ませていた。

「今回のことで駄目になった装備とかの修理にお金かかるだろ？　俺もそうだし。だから全額はもらえない」

「こちらとしては助かるが、それでいいのか？」

「子供たちを連れ戻した報酬はもうもらったから。銀貨全部を受け取るとこちらだけに得がありすぎる」

気にしないで受け取ってという幸助の言葉に、礼を言いつつガッチとヒイロは宿を出て行った。

その背を見送り、あの人たちはこれから大丈夫なのかと幸助は考えていた。人が良すぎて利用されるのではと思いもしたが、駆け出しの自分が心配などするのは失礼かと思い、己の頭を軽く叩く。

それとなく気をつけておこうと考え、幸助は部屋に戻っていった。

翌朝、ボルドスに起こされた幸助は一緒に朝食を食べ、チェイン武具店にやってきた。

幸助は一人で来るつもりだったのだが、ボルドスも用事があるようで一緒に来たのだった。

「いらっしゃーい」

店内で出荷用の武器を箱詰めしていたクラレスは、足音で来客に気づく。

「おはよう」

「おはようございます」

「コースケは久しぶりね。来てくれなくて、おねえさん寂しかったのよ？」

「え、えっと。用事がなくて、すみません」

「謝る必要はないぞ。そんくらいで寂しがるような奴じゃないからな、からかっているだけだ」

「私だって寂しいときはあるんだけど？　特にあなたと会えない日は」

目に情熱の炎を揺らめかせ、人差し指でボルドスの胸をつつく。

「繁盛してるんだろ？　人恋しいなんて日があるわけないない」

ボルドスは笑いながら、ズレた答えでクラレスの言葉を否定する。

その反応でクラレスの情熱の色が消え去った。落ち込んでいるような雰囲気を幸助は感じ取るが、ボルドスは気づいていないようだ。

「もしかして鈍い？」

幸助のつぶやきをクラレスは聞き逃さなかった。クラレスは小声で愚痴をもらす。

「気づいた？　ほんとにこの人は私たちの想いに気づいてくれなくてね」

「私たちって、ほかにもクラレスさんのようにスルーされてる人がいるんですか？」

「ええ。私の知っているかぎりもう一人いるわ。冒険者なんだけどね、私より接点が多いのに、気持ちに気づいてもらえないのよ」

「えっと……いつか気づいてもらえますよ。いざとなったら押し倒せばっ」

「既成事実は最終手段。いい加減我慢できなくなったら、もう一人を誘ってするつもりよ。抜け駆けはしないって約束してるし」

「なにこそこそ話してるんだ？」

「なんでもないわ。ちょっとした愚痴に近いこと」

「なにか愚痴があるなら俺も付き合うが？　日頃世話になってるしな！」

ほんとにこいつはと、クラレスがため息をつく。

「機会があったらね。それで今日はなんの用事で来たの？」

気を取り直し、商売用の顔となる。

「俺は鎧の点検だ。コースケは剣の修理」

持ってきていた鎧をカウンターに載せる。

クラレスは載せられた鎧を眺めて、素早く簡単なチェックを終える。

「これなら今日中に終わるよ」

「いつもながら早い仕事で助かるぜ」

「それほど酷使されてないからね。次はコースケの剣を見せて」

差し出された剣を見て、クラレスは大きく顔をしかめた。

様々な角度から見てため息をつく。

「こっちは盛大に酷使されちゃって。こんなになるまでほったらかしちゃ駄目よ！」

「ほったらかしたっていうか、昨日の戦いでそんなになって」

「これ、それなりに頑丈なのよ？　たった一日でここまで劣化するなんて考えられないわ」

「いやいや、そうでもないんだ。ヴァイオレントバルブを斬ったらしい。それなら納得できるだろう？」

クラレスは思案気な顔つきになる。聞き間違いかしらと確認のため聞きなおす。

「斬ったの？　戦ったじゃなくて？」

「斬ったんだろうコースケ？」

問いかけに幸助はうなずいた。

ただ戦っただけではそこまでぼろぼろにならないと、鍛冶屋ではないボルドスでもわかる。

「だとするとこれは」

クラレスは考えつつ、軽く剣を振るう。数回振って納得いったのか剣から視線を外す。

「力任せに叩き斬ったのね。そんな無茶したら、そりゃここまで劣化するわ。本当ならこの剣であの魔物を斬るなんて無理なんだし」

様々な武器の状態を見てきたクラレスもこのような状態は初めて見たが、そこはまだ一人前ではなくとも鍛冶屋、推測から正解へと辿りついた。

よく折れなかったものだと、剣に賞賛といたわりの言葉を心の中で贈る。

「これの修理には四日かかるわ。私じゃ無理だから、お父さんに頼まないと」

「お金はどれくらいですか？」

「銀貨で……六枚ほどかしら」

元値の半分以上という修理費に、無理したのだと幸助は改めて思い知った。

昨日もらった報酬から六枚出して、クラレスに渡す。

「まいどあり」

「俺の用事は終わったから帰るよ。では四日後に取りにきます」

「あ、一つアドバイス」

ボルドスとクラレスの邪魔にならないように、店から素早く出ようとした幸助を、クラレスが呼び止める。

「この剣は振るったとき叩きつけていたからここまで損傷したの。これが斬るということを意識して振るっていたら、ここまで損傷することはなかったと思う」

「次からは振り方を意識しなさいってことですか？」

「場合によっては今回のような振り方も有効ではあるんだろうけどね。長持ちさせたいなら意識して損はないわ」

ボルドスが教えた剣術が叩き潰すといった方針なので、今回の劣化も無理はないのかもしれない。

「気をつけてみます」

今度こそ幸助は店を出て行く。

ボルドスはなにか用事があったのかと首をかしげ、クラレスは気を利かせてくれたのだと理解した。

「防具の一つでも見繕ってやろうと思って一緒に来たんだが」

「その必要はないと思うけど」

「どうしてだ？　初めてここに連れてきたときは防具が必要だって言ってたろ」

「だってあの子が着ていたジャケットはそこらの安物の鎧より上物よ」

どこで手に入れたのかしらと疑問を抱くが、店はここだけではなくほかにもある。そこで勧められたのだろうと勝手に納得する。

「そうなのか？」

「ええ。あのジャケットはシルモン布っていう布で作られてて、耐斬、耐刺、耐燃に非常に優れているの。まあ熱は通すし、衝撃までも防ぐわけじゃないけどね。買おうと思ったら金貨三枚くらいは必要になるわね」

「あいつもきちんと防具を手に入れていたんだな」

この話を幸助が聞いていたら、すぐにウェーイに返しに行っただろう。遠慮した報酬よりはるかに高い代物をもらっているとは思ってもいなかったのだ。

そうとは知らずに、幸助はただ長持ちするように作られた衣服と思い込んで、長く着続けることになる。


剣を修理に出し、働き通しだった幸助はのんびりと過ごすことにしたが、さほど疲れてもいないので寝て過ごすこともできなかった。することがなく暇潰しに観光でもしようと街中を歩く。特にこれといった場所はなく、人々の日常を見ることができただけだった。

「噂話も聞けたけど、どこぞの村が魔物に滅ぼされたっていう物騒なものだしなぁ。もっと明るい話が聞きたい」

日本と異世界の暮らしの違いを見るのもわりと楽しめたが、ずっとはさすがに飽きる。どこか名所でもあればと情報収集のためギルドに行くと、いろんな人から勧誘を受ける。ガッチたちがギルドの職員に依頼の顛末《てんまつ》を話しているとき、近くで話を聞いていた冒険者からヴァイオレントバルブを倒したことが広まったからだ。

嘘だと疑う者もいたが、多くの者は信じた。それはレイコックたちが嘘を言うような人物ではないと多くの者が知っていたからだし、空を飛ぶ姿を見た者もいたからだ。

そういった勧誘をうまくかわし、資料が置かれている部屋に入る。景観がいいとされている場所を見つけることができた幸助は早速そこに行ってみることにした。

そこは街の外、南へ一日歩いたところにある台地で、小さな森があるらしい。森の中に花畑があり、その花が幸助の目当てだ。

宿に戻って野宿の準備を整え、すぐに出て行く幸助をシディが止めた。

「これからお出かけ？」

「うん、街の外に行ってくる」

「これからってことは帰りは遅くなるね」

「遅くなるっていうか明日になるね。南にある花畑を見に行ってくる」

「ああ、あそこね。私も一度くらいは見てみたいんだけどねぇ。帰ってきたら感想聞かせてね？」

うなずいた幸助はシディに見送られて宿を出る。

目的地の台地に関連した依頼があったのだが、観光気分を壊したくなかったので受けるのはやめた。

本人は急いでいないつもりだが、一般人と比べたら早めの速度で歩き続けたため予測よりも早くに森の外縁まで到着した。

太陽は傾き始めているが、まだ夕日にはなっていない。

「森の中央に花畑があるんだっけ」

資料内容を思い出し一つうなずいた幸助は、魔物に警戒しながら森へと足を踏み入れた。雑草が生えているものの道はある。それにそって歩き、二十分ほどで木々がなく開けた場所に到着した。

「うおぅ」

目の前に現れた光景に漏れ出たのは感嘆の声ではなく、うめき声だ。

公園ほどの広さの花畑は、一面濃い紫の花が咲いていた。名前は紫小花《ししょうか》。彼岸花を思わせる色合いや形から、日本人にはあまり好まれない花だろう。幸助もこの花畑には不気味さを感じている。香りは強くないようで、土や木々の匂いに混じって薄く花の香りが感じられる。

「あとは待つだけ、と」

幸助はわざわざ不気味な花を見に来たのではなく、この花が深夜に見せる現象を見に来たのだ。

花畑のそばに荷物を置いて、夕飯の準備を始める。周囲に魔物の気配らしきものはあるが、警戒を解いてはおらず近づいてくることはなかった。

そして夕日が木々を赤く染め、夜がやってくる。

幸助のいる場所も暗くなり、たき火なしでは周囲も見づらくなっている。火が消えないように注意しながら、虫や鳥の鳴き声とたき火の爆ぜる音以外聞こえない静かな夜を過ごした。

暇すぎて何度か居眠りし、その度に魔物が近づいてきたが、物音で目を覚まし、そちらを見ると離れていった。

時刻にして午前四時、花に朝露が付着し始める。

幸助の着ているマントにも水滴がつき始め、そろそろだと思い火を消した。見たいものには火は邪魔でしかないのだ。

いっきに暗くなる。少しずつ暗闇に目が慣れていった幸助は、ぼんやりとした小さな灯りを捉えた。照らすような明るさではなく、ポッと闇に点る小さな白色の灯りだ。

時間がたつにつれ、灯りの数は増えていき、少しだけ明るさも増す。

「おー。これかぁ」

幸助は目の前の風景に感嘆の声を出す。蛍が飛んでいる光景に似ているが、こちらは灯りが動くことはないし、蛍とはまた違った良さがある。

まるで星空のような光景が目の前に広がっている。空を見上げれば星が瞬いており、視線を花畑に戻しても見分けがつかないほどだ。

天地の星々とでも言おうか、ただただいい眺めとしか言いようのない風景だった。

これは紫小花《ししょうか》の花粉が光っているのだ。明るい時間帯に光を吸収し、その花粉が水分に触れるとためた光を放つ。花粉の大きさは最大で一ミリ。花粉が大きければ大きいほど光を多くためため、強く輝く。その輝きの強弱が、灯りを星のように見せていたのだった。

三十分以上、満足するまで眺めた幸助は、遠くから木の倒れる小さな音を聞く。鳴いていた虫の声も聞こえなくなっている。さらに魔物の気配も消えている。

なんだろうと思いつつ、耳を澄ますと連続して木の倒れる音が聞こえてきた。

「……行ってみるかな」

少し迷いを見せた幸助だが、周囲の光景を見て行ってみようと決めた。良いものを見せてくれたこの地への礼のつもりだ。

荷物を持って、自分の頭上に灯りの魔法を使い、音のする方向へ走る。

道なき道を行き、枝や草を体にぶつけながら五分ほど走り、幸助は異変の元へ到着したのだが、目の前に現れたものに大口を開けて驚きほうけた。

「……え？　ちょ……本物!?」

幸助の目の前には生物図鑑やテレビなどで見たことのある生物が威風堂々と立っていた。

「……恐竜？」

灯りに照らされ、ティラノサウルスに似た巨大な生物が、目の前に現れた幸助を唸《うな》りながら見下ろしている。

大きさは博物館にある骨格と同じくらいで、口にはぞろりと鋭い牙が生え、硬そうな皮膚に覆われている。

暴君竜とも呼ばれるにふさわしい、荒々しい雰囲気を幸助は感じた。少し憧れも抱くが、恐怖のほうが大きい。

「これは逃げたほうがいいよね、さすがに」

人間が恐竜にかなうわけないと、当たり前のように逃げを選び、一歩下がる。さらにもう一歩下がろうとして幸助の脳裏に紫小花《ししょうか》のことが浮かんだ。このまま逃げると、この恐竜はおそらく直進するだろう。進路上には花畑がある。

（この状況でなんであの花畑のことなんか！）

無視して逃げようと考えたが、どうしても花畑のことが頭から離れない。何者かに荒らされることは自然界ではよくあることだと思いはしても、どうしても納得はできなかった。

「……あーっもうっ！　進路を変えることくらいはできるだろ！　おとりになればいいんだからっ」

いざとなれば飛んで逃げると腹をくくり、恐竜を睨《にら》む。

やる気に反応したか、恐竜は一際大きく吠えて幸助をかみ砕こうと大きく口を開けて突進してきた。

それをバックステップでよける。がつんと勢いよく閉じられた口に、かまれたら痛いというだけじゃ済みそうにないと肝を冷やす。

慎重によけ続け、花畑から少しずつ離れていく。幸助は命をかけた鬼ごっこのように感じている。

十分ほどかけて、完全に花畑コースからそれた。それにほっと一安心したのが悪かったのか、飛び出た木の根につまずき尻餅をつく。

「やばっ⁉」

隙だらけなそんな格好を見逃すはずもなく、恐竜は幸助にかみつこうと頭を振り下ろす。

目の前に迫る大きな口に、幸助は手を前に出し思わず目を閉じる。手に衝撃と痛みを感じる。だがその痛みは刃物で斬られたような痛みではなく、もっと軽い痛みだった。例えるなら友達からシッペを食らった程度の痛みだった。

そっと目を開けて状況を確認すると、確かに突き出した両腕をかまれている。もともとの頑丈さに加え、ジャケットの特性がダメージを最小に抑えていた。

「……あれ？」

首をかしげつつ、両腕を上下に開いてみる。するとわりと簡単に恐竜の口を開くことができた。

「もしかしてこっちの恐竜って弱い？」

これは勘違いだ。恐竜は竜の亜種で、こちらでも強い部類に入る。弱いと感じたのは単純に幸助の強さのほうが上だからだ。証拠というわけではないが、ここに来るまでに恐竜は小さな村を一つ襲い滅ぼしている。

勘違いしたまま、幸助は恐竜の上顎下顎の牙を掴み持ち上げる。恐竜はかなり重たかったが、持ち上げることは可能で、そのまま地面に叩きつける。悲鳴を上げ、離れようと暴れる恐竜をもう一度持ち上げて叩きつける。

そんなことをやっている本人は漫画やアニメのような光景だと思っていたが、やられている恐竜としては悪夢の類いだろう。

さらにもう一度といったところで、牙が抜けた。

恐竜は口から血を流し、よろよろと立ち上がる。その姿には、最初に感じた威厳は皆無だった。

今度は恐竜が幸助から距離を取る。恐竜の目に恐怖の色が浮かんでいた。そんな恐竜に幸助は一歩近づき、大きく吠えた。

木の葉や雑草を大きく揺らすほどの声にびくりと体を震わせ、恐竜は数歩後ずさると反転し逃げていく。

なんとかなったと幸助はほっと胸を撫で下ろして、その場に座る。

緊張から解放され、安堵《あんど》したせいか、眠気に逆らえず幸助は木に寄りかかり眠る。無防備な姿だが、恐竜を圧倒した幸助を襲える気概のある魔物はおらず、安眠をむさぼることができた。

逃げていったあの恐竜だが、幸助と無関係ではなかった。

恐竜はこの森を目的地にしていたわけではなく、まだ遠くにある山を目指していた。その山とは以前、黒竜が住み処《か》としていた山だ。

主がいなくなったことを知った恐竜は、自身が主になろうとその山に向かっている最中だったのだ。

このようなところで黒竜を殺した幸助に出会うなど思ってもおらず、人間を餌としか考えていない恐竜は幸助も食らおうとして返り討ちにされたのだった。

この恐竜は怪我を癒やすため縄張りに帰る途中で、ほかの魔物に襲われて食われてしまう。食い残された恐竜の死骸のそばには一匹のスライムがいた。

強い魔物を食べて力をつけたスライムは、別の魔物を襲って食べ力をつけていくことになる。


昼前に目を覚ました幸助は、手に持っていた恐竜の牙をバッグに仕舞いベラッセンに帰る。

エリスの家に帰るまでにもう少し日数があり、暇だった幸助は農業と大工の仕事を手伝い、それぞれの基本的なことを教わっていた。エリスの家に戻ったとき、役立つ技術になると考えたのだ。

畑を作り野菜を提供し、ちょっとした家の修理をできるようになる。居候の立場としては、無駄飯食らいは避けたかった。

ほかにしたことは、きちんと元通りになった剣を受け取ったり、農具を買い揃えたり、ギルドに行ったりだ。ギルドに行ったのはしばらくこの街には来ない予定なので、依頼の指名がきても受けることができないと伝えるため。

働いているウィアーレにも帰ることを告げると、彼女は別れを惜しんだ。絶対また来てくださいという言葉を受けて、幸助は嬉しく思いうなずく。

持ってきた荷物と買った物を抱えて、幸助はボルドスとシディの三人で話している。

「もう一ヶ月たったんだねー」

「お世話になりました」

「お客様だからね、お世話するのは宿の従業員として当然よ。次いつ来るかとか決まってる？」

「んー……最低でも二十日ほどは家にいるつもり。新しい魔法とか覚えたいし、畑も作りたいし。ボルドスはエリスさんになにか伝言ある？」

少し考え、なにも思い浮かばなかったボルドスは首を横に振る。

「特にはないな。元気でやってるとだけ伝えてくれ」

「了解。じゃ、もう行くよ。またね」

「ご利用ありがとうございました」

「またなー」

宿を出て行く幸助を、二人は見送る。

街から出た幸助は飛翔《ひしょう》魔法を使う。

振り返ると街の全貌が見えた。幸助が真正面を向きエリスの家へと飛び去ると同時に、街の景色がわずかにゆがみを見せる。このゆがみがいずれ表面化し問題となるのだが、それにはもう少しの時間を必要とする。そしてその解決に幸助も関わることになる。

今の幸助はそのようなことは予想もせず、高速で街から離れていく。一ヶ月ぶりの再会を楽しみにしながら。

[『竜殺しの過ごす日々 2』へつづく]

この作品に対するご感想、ご意見をお寄せください。

●あて先●

〒101-8911 東京都千代田区神田駿河台2−9
主婦の友社　ヒーロー文庫編集部

「赤雪トナ先生」係
「碧 風羽先生」係

ヒーロー文庫

ヒーロー文庫

竜殺《りゅうごろ》しの過《す》ごす日《ひ》々《び》 1

赤雪《あかゆき》トナ

平成24年10月31日　第1刷発行

発行者　荻野善之

発行所　株式会社　主婦の友社
〒101-8911 東京都千代田区神田駿河台 2-9
電話／ 03-5280-7537（編集）
　　　 03-5280-7551（販売）

印刷所　大日本印刷株式会社

ISBN 978-4-07-283096-3